外国人と街歩き英会話
日本を伝えるフレーズ2100

江口裕之
HIROYUKI EGUCHI

the japan times出版

まえがき

●

近年、外国人観光客の増加とともに、私たちが日本や日本文化の案内を求められる機会も増えています。英語学習者の中にも、日本文化を改めて学び直し、それらを外国からのお客様に英語で説明することが、英語力の有意義な活用法であり、かつ、英語力の効果的な増強法であると思われる方が多くなっています。そのような方々に即役立つような表現集を目指し、本書の執筆を手がけました。

文化的な内容を英語で説明するには、特に名詞と形容詞において、かなりの語彙力が必要です。これは、たとえば動植物名などの場合、他の語で置き換えができなかったり、学術的に広く用いられている語は、簡単な語で置き換えると誤解を招いたりすることが多いからです。このように、名詞・形容詞については語彙レベルを下げることは難しく、ある程度、学習者が語彙力を強化する必要性は避けられません。それは仕方がないとして、語彙レベル以外の面において、誰でも簡単に応用できるハードルが低い表現集はできないかと考えました。その結果、①構文を徹底して簡潔にする、②動詞部分をできるだけ簡単な言い回しにして表現を統一する、という２点を基本理念にしました。

読み物や会話の形式を採用した書物は、文章全体の自然な流れがとても重要ですが、口頭の英語で案内をする場合、多くは、単発的な情報の発信で十分に通用します。そこで、本書では、先の①について、基本的に単文表現集の形式を取りました（一部複文もあります）。この形式では文章の流れを考える必要はないので、より少ない語数でより多くの情報を盛り込めます。そのため、外国人が特に興味を抱く、日本文化のディープな面や、トリビア的なネタまで踏み込むことが可能になりました。これらの単文は連結していくと、まとまった単位の説明に仕上がるようになっています。

また、文章の流れを重視する場合、同じ表現の反復は避けるのが普通ですが、単文であれば反復を気に掛ける必要はないため、ある程度表現を統一できます。そこで、先の②について、本書で統一的に用いた動詞フレーズを30選び、「伝わりやすい案内ができる動詞フレーズ30」としてまとめました。結果的に、本書は、読者の英語力のレベルにかかわらず、初級者から上級者まで、幅広く活用していただける表現集になったと自負しております。

構成としては、分野別に100表現からなる19の章を立てて、日本および日本文化を網羅しました。加えて、実際のガイディングの場面を想定して「ガイド案内フレーズ200」も別に設けました。レイアウトは、左ページに日本語、右ページに英語を配置し、適宜注釈が入っています。日本語を見て自分なりの英語を考えた上で英語を読んだり、英語を覚えた上で日本語から英語を再現したりと、読者のニーズによって様々な活用ができます。また、収録音声は、各表現の間に2秒の間を置きました。聞きながら英語を読む、または英語を見ずにシャドーイングしながら追いかけるのに最適のテンポです。ぜひ自分なりの工夫によって、最大限に活用してください。日本や日本文化を英語で説明したいと思われる方々の新しい学習のガイドとして本書をお役に立てていただければ、それに勝る幸せはございません。

江口裕之

・本書は株式会社DHC刊『英語で伝えたい 日本紹介きほんフレーズ2100』（2017年）を再編集したものです。今回の新装版刊行にあたり、一部加筆修正を行いました。

Contents | もくじ

Chapter 06 仏教1

Chapter 07 仏教2

Chapter 08 地理と気候

Chapter 09 観光

Chapter 10 歴史

Chapter 11 建物・家屋

Chapter 12 着物・小物

Chapter 13 伝統演劇

Chapter 14 伝統芸能とポップカルチャー

本書の構成

本書では、使えると便利な30の動詞フレーズ、ガイドに必須の200のフレーズの他に、日本を案内・紹介するためのフレーズを関連するテーマごとに19の分野（Chapter）で掲載しています。それらは通して読むことでテーマ全体のまとまった説明となります。

●伝わりやすい案内ができる動詞フレーズ30

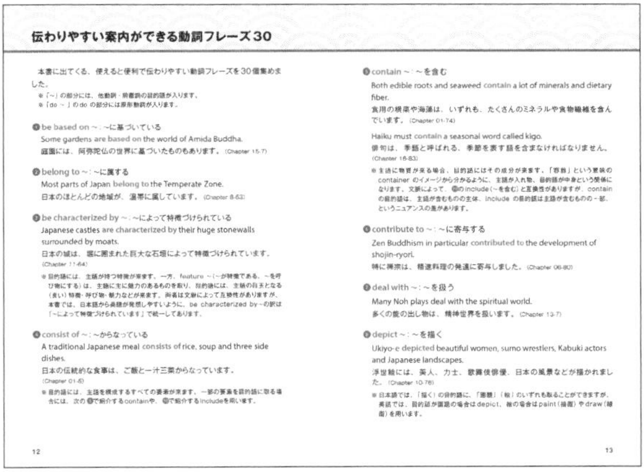
伝わりやすい案内ができる動詞フレーズ30

本書に出てくる、使えると便利で伝わりやすい動詞フレーズを30個集めました。
※「～」の部分には、他動詞・前置詞の目的語が入ります。
※「do ～」の do の部分には原形動詞が入ります。

❶ be based on ～：～に基づいている
Some gardens are based on the world of Amida Buddha.
庭園には、阿弥陀仏の世界に基づいたものもあります。(Chapter 15-7)

❷ belong to ～：～に属する
Most parts of Japan belong to the Temperate Zone.
日本のほとんどの地域が、温帯に属しています。(Chapter 8-63)

❸ be characterized by ～：～によって特徴づけられている
Japanese castles are characterized by their huge stonewalls surrounded by moats.
日本の城は、堀に囲まれた巨大な石垣によって特徴づけられています。(Chapter 11-64)
※目的語には、主語が持つ特徴が来ます。一方、feature ～（～が特徴である、～を呼び物にする）は、主語に主に魅力のあるものを取り、目的語には、主語の目玉となる（良い）特徴・呼び物・魅力などが来ます。両者は文脈によって互換性がありますが、本書では、日本語から英語が発想しやすいように、be characterized by ～の訳は「～によって特徴づけられています」で統一してあります。

❹ consist of ～：～からなっている
A traditional Japanese meal consists of rice, soup and three side dishes.
日本の伝統的な食事は、ご飯と一汁三菜からなっています。(Chapter 01-6)
※目的語には、主語を構成するすべての要素が来ます。一部の要素を目的語に取る場合には、次の❺で紹介するcontainや、⓬で紹介するincludeを用います。

12

❺ contain ～：～を含む
Both edible roots and seaweed contain a lot of minerals and dietary fiber.
食用の根菜や海藻は、いずれも、たくさんのミネラルや食物繊維を含んでいます。(Chapter 01-74)
Haiku must contain a seasonal word called kigo.
俳句は、季語と呼ばれる、季節を表す語を含まなければなりません。(Chapter 16-83)
※主語に物質が来る場合、目的語にはその成分が来ます。「容器」という意味のcontainerのイメージから分かるように、主語が入れ物、目的語が中身という関係になります。文脈によって、⓬のinclude（～を含む）と互換性がありますが、containの目的語は、主語が含むものの全体、includeの目的語は主語が含むものの一部、というニュアンスの差があります。

❻ contribute to ～：～に寄与する
Zen Buddhism in particular contributed to the development of shojin-ryori.
特に禅宗は、精進料理の発達に寄与しました。(Chapter 06-80)

❼ deal with ～：～を扱う
Many Noh plays deal with the spiritual world.
多くの能の出し物は、精神世界を扱います。(Chapter 13-7)

❽ depict ～：～を描く
Ukiyo-e depicted beautiful women, sumo wrestlers, Kabuki actors and Japanese landscapes.
浮世絵には、美人、力士、歌舞伎俳優、日本の風景などが描かれました。(Chapter 10-76)
※日本語では、「描く」の目的語に、「画題」「絵」のいずれも取ることができますが、英語では、目的語が画題の場合はdepict、絵の場合はpaint（描画）やdraw（線画）を用います。

13

◀◀◀

本書で用いられている便利な動詞フレーズをまとめています。

●ガイド案内フレーズ200

▶▶▶

外国のお客様をアテンドする際によく使うフレーズを網羅しています。

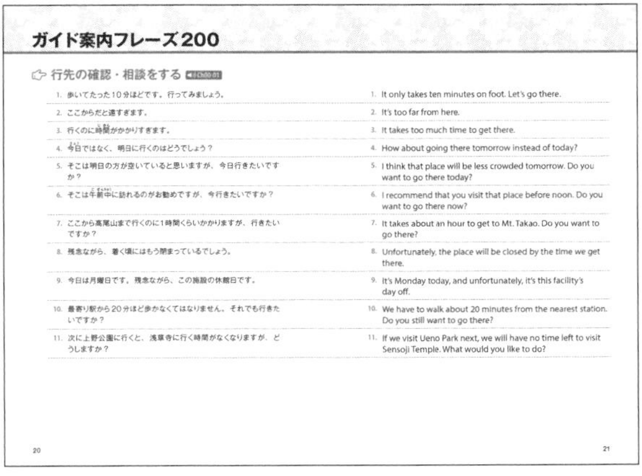
ガイド案内フレーズ200

行先の確認・相談をする

1. 歩いてたった10分ほどです。行ってみましょう。	1. It only takes ten minutes on foot. Let's go there.
2. ここからだと遠すぎます。	2. It's too far from here.
3. 行くのに時間がかかりすぎます。	3. It takes too much time to get there.
4. 今日ではなく、明日に行くのはどうでしょう？	4. How about going there tomorrow instead of today?
5. そこは明日の方が空いていると思いますが、今日行きたいですか？	5. I think that place will be less crowded tomorrow. Do you want to go there today?
6. そこは午前中に訪れるのがお勧めですが、今行きたいですか？	6. I recommend that you visit that place before noon. Do you want to go there now?
7. ここから高尾山まで行くのに1時間くらいかかりますが、行きたいですか？	7. It takes about an hour to get to Mt. Takao. Do you want to go there?
8. 残念ながら、着く頃にはもう閉まっているでしょう。	8. Unfortunately, the place will be closed by the time we get there.
9. 今日は月曜日です。残念ながら、この施設の休館日です。	9. It's Monday today, and unfortunately, it's this facility's day off.
10. 最寄り駅から20分ほど歩かなくてはなりません。それでも行きたいですか？	10. We have to walk about 20 minutes from the nearest station. Do you still want to go there?
11. 次に上野公園に行くと、浅草寺に行く時間がなくなりますが、どうしますか？	11. If we visit Ueno Park next, we will have no time left to visit Sensoji Temple. What would you like to do?

20　21

● Chapter 01～19

各Chapterに約100フレーズを掲載しています。

❷ 音声トラック番号

各テーマごとに1トラックになっています。

テーマ❶

Chapterにまつわる詳細テーマ。

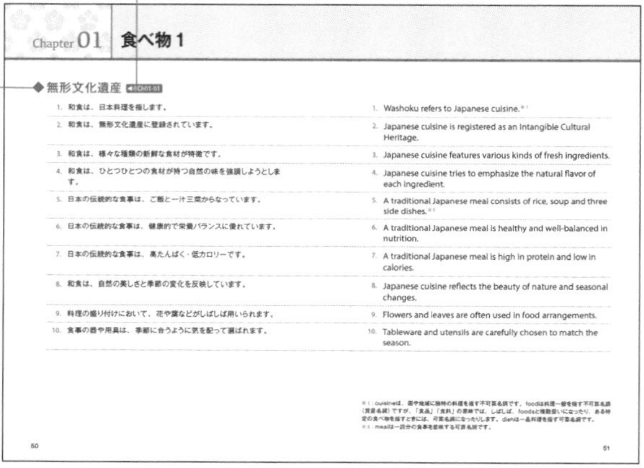

Chapter 01　食べ物 1

◆無形文化遺産 Ch01-01

1. 和食は、日本料理を指します。	1. Washoku refers to Japanese cuisine.※1
2. 和食は、無形文化遺産に登録されています。	2. Japanese cuisine is registered as an Intangible Cultural Heritage.
3. 和食は、様々な種類の新鮮な食材が特徴です。	3. Japanese cuisine features various kinds of fresh ingredients.
4. 和食は、ひとつひとつの食材が持つ自然の味を強調しようとします。	4. Japanese cuisine tries to emphasize the natural flavor of each ingredient.
5. 日本の伝統的な食事は、ご飯と一汁三菜からなっています。	5. A traditional Japanese meal consists of rice, soup and three side dishes.※2
6. 日本の伝統的な食事は、健康的で栄養バランスに優れています。	6. A traditional Japanese meal is healthy and well-balanced in nutrition.
7. 日本の伝統的な食事は、高たんぱく・低カロリーです。	7. A traditional Japanese meal is high in protein and low in calories.
8. 和食は、自然の美しさと季節の変化を反映しています。	8. Japanese cuisine reflects the beauty of nature and seasonal changes.
9. 料理の盛り付けにおいて、花や葉などがしばしば用いられます。	9. Flowers and leaves are often used in food arrangements.
10. 食事の器や用具は、季節に合うように気を配って選ばれます。	10. Tableware and utensils are carefully chosen to match the season.

※1：cuisineは、国や地域に独特の料理を指す不可算名詞です。foodは料理一般を指す不可算名詞（質量名詞）ですが、「食品」「食料」の意味では、しばしば、foodsと複数扱いになったり、ある特定の食べ物を指すときには、可算名詞になったりします。dishは一品料理を指す可算名詞です。
※2：mealは一回分の食事を意味する可算名詞です。

50　51

｜英文中の日本語の扱い方について｜

本書では、日本語の名詞を訳さずにそのまま英語で音写する際も、不可算名詞・可算名詞の使い分けをしています。可算名詞として扱う場合、単数形はa（an）～のように冠詞を用いますが、複数形は語末にsを付けずにそのまま複数扱いにしています。

例）Washoku refers to...　「和食は、…を指します。」（不可算名詞扱い）

...is called a chasen.　「…は、茶筅と呼ばれます。」（可算名詞扱い単数形）

Soba are noodles made from...　「そばは、～から作られる麺です。」（可算名詞扱い複数形）

中には、kimonoのように、英語の辞書に掲載され、複数形はkimonosと、語末にsを付けて紹介されている語もありますが、本書では、先の原則に従って語末にsを付けずに掲載しています。

音声のご利用案内

本書の音声は、スマートフォン（アプリ）やパソコンを通じてMP3形式でダウンロードし、ご利用いただくことができます。

スマートフォン

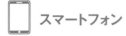

1. ジャパンタイムズ出版の音声アプリ「OTO Navi」をインストール

2. OTO Navi で本書を検索

3. OTO Navi で音声をダウンロードし、再生
   3秒早送り・早戻し、繰り返し再生などの便利機能つき。
   学習にお役立てください。

パソコン

1. ブラウザからジャパンタイムズ出版のサイト「BOOK CLUB」にアクセス
   https://bookclub.japantimes.co.jp/book/b639740.html

2. 「ダウンロード」ボタンをクリック

3. 音声をダウンロードし、iTunes などに取り込んで再生

※音声はzipファイルを展開（解凍）してご利用ください。

伝わりやすい案内ができる動詞フレーズ30

本書に出てくる、使えると便利で伝わりやすい動詞フレーズを30個集めました。

※「～」の部分には、他動詞・前置詞の目的語が入ります。
※「do ～」のdo の部分には原形動詞が入ります。

❶ **be based on ～**：～に基づいている
Some gardens **are based on** the world of Amida Buddha.
庭園には、阿弥陀仏の世界に基づいたものもあります。(Chapter 15-7)

❷ **belong to ～**：～に属する
Most parts of Japan **belong to** the temperate zone.
日本のほとんどの地域が、温帯に属しています。(Chapter 8-53)

❸ **be characterized by ～**：～によって特徴づけられている
Japanese castles **are characterized by** their huge stonewalls surrounded by moats.
日本の城は、堀に囲まれた巨大な石垣によって特徴づけられています。
(Chapter 11-64)

※目的語には、主語が持つ特徴が来ます。一方、feature ～（～が特徴である、～を呼び物にする）は、主語に主に魅力のあるものを取り、目的語には、主語の目玉となる（良い）特徴・呼び物・魅力などが来ます。両者は文脈によって互換性がありますが、本書では、日本語から英語が発想しやすいように、be characterized by～の訳は「～によって特徴づけられています」で統一してあります。

❹ **consist of ～**：～からなっている
A traditional Japanese meal consists of rice, soup and three side dishes.
日本の伝統的な食事は、ご飯と一汁三菜からなっています。(Chapter 01-5)

※目的語には、主語を構成するすべての要素が来ます。一部の要素を目的語に取る場合には、次の❺で紹介するcontainや、⓳で紹介するincludeを用います。

❺ contain ～：～を含む

Both edible roots and seaweed **contain** a lot of minerals and dietary fiber.

食用の根菜や海藻は、いずれも、たくさんのミネラルや食物繊維を含んでいます。(Chapter 01-74)

Haiku must **contain** a seasonal word called kigo.

俳句は、季語と呼ばれる、季節を表す語を含まなければなりません。(Chapter 16-83)

※主語に物質が来る場合、目的語にはその成分が来ます。「容器」という意味のcontainer のイメージから分かるように、主語が入れ物、目的語が中身という関係になります。文脈によって、⓳のinclude(～を含む)と互換性がありますが、contain の目的語は、主語が含むものの主体、includeの目的語は主語が含むものの一部、というニュアンスの差があります。

❻ contribute to ～：～に寄与する

Zen Buddhism in particular **contributed to** the development of shojin-ryori.

特に禅宗は、精進料理の発達に寄与しました。(Chapter 06-80)

❼ deal with ～：～を扱う

Many Noh plays **deal with** the spiritual world.

多くの能の出し物は、精神世界を扱います。(Chapter 13-7)

❽ depict ～：～を描く

Ukiyo-e **depicted** beautiful women, sumo wrestlers, Kabuki actors and Japanese landscapes.

浮世絵には、美人、力士、歌舞伎俳優、日本の風景などが描かれました。(Chapter 10-76)

※日本語では、「描く」の目的語に、「画題」「絵」のいずれも取ることができますが、英語では、目的語が画題の場合はdepict、絵の場合はpaint(描画)やdraw(線画)を用います。

❾ **derive from ～** : ～に由来する

The name gunkan-maki **derives from** its shape resembling a battleship.

軍艦巻という名称は、 その形が軍艦に似ていることから来ています。

(Chapter2-16)

※be derived from～としてもほぼ同じ意味です。come from～とも言い換えできます。

The dish name **comes from** the sound of cloth being washed, likened to washing meat.

その料理名は、 布を洗う音に由来し、 肉を洗う様子にたとえています。

(Chapter 02-68)

❿ **be designated as ～** : ～に指定されている

Many temples have properties designated as national treasures.

多くの寺院には、 国宝に指定されている所蔵物があります。

(Chapter 07-85)

⓫ **develop** : 発達する

With the creation of Onnagata, Yaro Kabuki **developed** into Kabuki as we know it today.

女形が生まれたことで、 野郎歌舞伎は、 今日知られる歌舞伎に発展しました。

(Chapter 13-77)

※例文のように、「～へと発達する」場合はdevelop into～とします。他に、「～として発達する」場合はdevelop as～、「～から発達する」場合はdevelop from～とします。

Akihabara first **developed** as an electronics quarter.

秋葉原は、 最初は電気街として発展しました。 (Chapter 14-95)

Judo **developed** from jujutsu.

柔道は、 柔術から発達しました。 (Chapter 17-5)

⑫ **emerge**：現れる

In the Edo Period, pictures depicting the lives of commoners **emerged**.

江戸時代には、庶民の生活を描いた絵画が現れました。（Chapter 15-76）

※水面下から表面に出てくるという基本的なニュアンスがあり、今まで見えなかったものが現れ出る場合に用います。多くの場合、appear（現れる）と互換性がありますが、appearは視覚的に見えるようになる、というニュアンスの場合によく用います。

In the late Edo Period, many famous ukiyo-e artists **appeared**.

江戸時代末期には、多くの有名な浮世絵師が登場しました。
（Chapter 15-86）

⑬ **emphasize** ～：～を強調する

Wabicha **emphasizes** the importance of simplicity.

わび茶は、簡素さの大切さを重視します。（Chapter 16-7）

※名詞形のemphasisを用いる場合、place emphasis on～と言います。

The Jodo-Shin Sect **places** strong **emphasis on** the belief in Amida Buddha along with chanting nenbutsu.

浄土真宗は、念仏を唱えることと並んで、阿弥陀仏への信仰心を重視します。
（Chapter 06-53）

⑭ **enshrine** ～：～を祀る

The main hall **enshrines** Shinto deities.

本殿には、神道の神が祀られています。（Chapter 05-11）

Amaterasu is **enshrined** at Ise Shrine in Mie Prefecture.

アマテラスは、三重県の伊勢神宮に祀られています。（Chapter 04-26）

⑮ **be expected to do**：～すると（予期・期待）されている

In return, senpai **are expected to** help their kohai.

お返しに、先輩は、後輩を助けることを求められます。（Chapter 18-59）

※主語が、「do～して当然」というニュアンスを出します。

⑯ be famous for ～：～で有名である

Osaka and Hiroshima **are famous for** their original versions of okonomiyaki.

大阪と広島は、それぞれ独自のお好み焼きで有名です。(Chapter 02-83)

Itsukushima Shrine **is famous for** its red torii standing in the sea.

厳島神社は、海に立つ赤い鳥居で有名です。(Chapter 05-67)

※for のあとに来るoriginal versions of okonomiyai やred toriiは、文脈上、所有格代名詞(theirやits)がなくても通じますが、どこに所属するものなのかを明確にしたい場合は、例文のように主語を受ける所有格代名詞を付けます。

⑰ feature ～：～が特徴である

Japanese cuisine **features** various kinds of fresh ingredients.

和食は、様々な種類の新鮮な食材が特徴です。(Chapter 01-3)

※主語に主に魅力のあるものを取り、目的語には、主語の目玉となる(良い)特徴·呼び物·魅力などが来ます。文脈によって、❸で紹介したbe characterized by～と互換性があります。

⑱ found ～：～を創始する、～を確立する

In the late 19th century, Kano Jigoro **founded** judo by adding an element of self-discipline to jujutsu.

19世紀末、嘉納治五郎は柔術に自己鍛錬の要素を加え、柔道を創始しました。(Chapter 17-9)

※組織·活動·規則などを目的語に取ります。establish～(～を確立する)とほぼ同義語です。

In the late 16th century, Sen no Rikyu **established** the wabicha style.

16世紀末に、千利休がわび茶の様式を確立しました。(Chapter 16-6)

⑲ include ～：～を含む

Japan's neighboring countries **include** China, Russia and South Korea.

日本の近隣諸国には、中国、ロシア、韓国などがあります。
(Chapter 08-6)

Budo **include** judo, kendo, kyudo, aikido and karate.
武道には、柔道、剣道、弓道、合気道、空手があります。(Chapter 17-2)

※主語に含まれるものの一部を目的語に取ります。文脈によって、❺のcontain～(～を含む)と互換性があります。

⑳ be located in ～:～に所在する

Tokyo **is located in** the center of Honshu Island.
東京は、本州の中央に位置しています。(Chapter 08-33)

※目的語によって、前置詞は、in、at、onなどと変化します。

㉑ be made from ～:～でできている

Udon **are** noodles **made from** wheat flour.
うどんは、小麦粉から作った麺です。(Chapter 02-25)

※目的語に素材が来ますが、例文のように素材の見た目が大きく変化している場合はfrom、木造の家など、素材の見た目に変化が少ない場合はof、素材の一部、または、加工に使う道具などに対してはwithを用います。

Traditional Japanese houses **are made of** wood.
伝統的な日本家屋は、木造です。(Chapter 11-1)

Shimekazari **are** decorations **made with** rice straw and an orange.
しめ飾りは、藁とミカンで作られた飾り物です。(Chapter 05-93)

㉒ mean ～:～を意味する

Ukiyo-e literally **means** "pictures of the floating world."
浮世絵の文字通りの意味は、「浮遊している世界の絵」です。(Chapter 15-78)

※be動詞で代用できる場合が多くありますが、例文のように、主語の言葉としての意味を説明する場合にはmean のほうが合います。

㉓ merge with ～:～融合する

Under the influence of mikkyo, Buddhist deities started to **merge with** Shinto deities.
密教の影響で、仏教の神と神道の神が融合し始めました。(Chapter 06-59)

※2つのものが1つになる場合に用います。mergeは、ここでは自動詞ですが、他動詞にして、merge A and [with] B の形で、「AとBを融合させる」という使い方もあります。

Some painters tried to **merge** traditional Japanese-style paintings **and** India ink paintings.
画家の中には、伝統的な日本画と水墨画を融合させようとする者もいました。(Chapter 15-69)

㉔ refer to ～：～を指す

Sushi **refers to** dishes using vinegared rice.
すしは、酢飯を用いた料理を指します。(Chapter 02-8)

Honne **refers to** a person's true feelings.
本音は、人の本当の気持ちを指します。(Chapter 18-1)

※この例文を含め、ほとんどの場合、meanあるいはbe 動詞で代用(be動詞の場合、「～」は補語になります)できますが、例文のように用語を主語にして、それが指す物･状況･考えなどを目的語に取って説明する場合には、refer to～が合います。

㉕ reflect ～：～を反映する

The garden designs **reflect** Zen philosophies.
枯山水の設計は、禅の哲学を反映しています。(Chapter 15-15)

㉖ be regarded as ～：～とみなされている

Sumo **is regarded as** Japan's national sport.
相撲は、日本の国技とされています。(Chapter 17-61)

※名詞が目的語に来る場合に用います。主に、そのように「思われている」場合に用いられますが、そのように「見られている」のように視覚的な感覚を加味する場合には、be seen as～がよく合います。一方、「～するとみなされる」の意味にする場合は、regard の代わりにthinkを用い、be thought to do～とします。

Graduates from the same school **are** also **seen as** a group.
同じ学校からの卒業生同士もまた、集団とみなされます。(Chapter 18-18)

Daruma dolls **are thought to** bring good fortune.
達磨の人形は、縁起が良いとされています。(Chapter 07-94)

㉗ be related to ～：～と関連がある

Japanese cuisine **is** closely **related to** traditional annual events.

和食は、伝統的な年中行事と密接な関連があります。（Chapter 01-11）

※より強い関連を思わせる、「～と結び付けられている」という意味の場合は、be connected to～のほうが合います。

In Shinbutsu-shugo, each Shinto deity **was connected to** a specific Buddhist deity.

神仏習合では、神道の各神が、特定の仏教の神に結び付けられていました。（Chapter 06-89）

㉘ be replaced by ～：～に取って代わられる

The Kamakura Shogunate **was replaced by** the Muromachi Shogunate in the 14th century.

14世紀に、鎌倉幕府は室町幕府に取って代わられました。（Chapter 10-55）

※be replaced with～ともできます。

㉙ symbolize ～：～を象徴する

Long soba noodles **symbolize** long life.

長いそば麺は、長寿を象徴しています。（Chapter 01-34）

㉚ worship ～：～を崇拝する

People held Shinto rituals to **worship** the deities.

人々は、神を崇拝するために、神道の儀式を執り行いました。（Chapter 04-15）

行先の確認・相談をする Ch00-01

1. 歩いてたった10分ほどです。行ってみましょう。
2. ここからだと遠すぎます。
3. 行くのに時間がかかりすぎます。
4. 今日ではなく、明日に行くのはどうでしょう？
5. そこは明日のほうが空いていると思いますが、今日行きたいですか？
6. そこは午前中に訪れるのがお勧めですが、今行きたいですか？
7. ここから高尾山まで行くのに1時間くらいかかりますが、行きたいですか？
8. 残念ながら、着く頃にはもう閉まっているでしょう。
9. 今日は月曜日です。残念ながら、この施設の休館日です。
10. 最寄り駅から20分ほど歩かなくてはなりません。それでも行きたいですか？
11. 次に上野公園に行くと、浅草寺に行く時間がなくなりますが、どうしますか？

1. It only takes ten minutes on foot. Let's go there.
2. It's too far from here.
3. It takes too much time to get there.
4. How about going there tomorrow instead of today?
5. I think that place will be less crowded tomorrow. Do you want to go there today?
6. I recommend that you visit that place before noon. Do you want to go there now?
7. It takes about an hour to get to Mt. Takao. Do you want to go there?
8. Unfortunately, the place will be closed by the time we get there.
9. It's Monday today, and unfortunately, it's this facility's day off.
10. We have to walk about 20 minutes from the nearest station. Do you still want to go there?
11. If we visit Ueno Park next, we will have no time left to visit Sensoji Temple. What would you like to do?

12. 今から上野公園に行くと、夕食に間に合わなくなってしまいます。

13. いったんホテルに戻って、荷物を置いてから行きましょう。

14. いったんホテルに戻って、少し休憩してから行きましょうか？

15. 少し早いですが、今日はもう終わりにして、ホテルに戻りますか？

16. 準備OKですか？　それでは、行きましょう!

鉄道交通① 行先を確認する・伝える Ch00-02

17. JR線を使う予定です。

18. この駅は半蔵門線ではなく、都営新宿線です。

19. 電車よりもバスで行ったほうが近いです。

20. この駅からは、新宿行きの電車は出ていません。

21. 東京駅まで、20分くらいかかります。

22. 目的の駅まで、10駅くらいあります。

23. 京浜東北線は、3番ホームです。

24. 大宮行きの電車は、3番ホームから発車します。

25. 1番ホームに行きます。

12. If we head for Ueno Park now, we won't be able to come back in time for dinner.※12

13. Before we go there, let's go back to the hotel and leave our bags there.

14. Would you like to go back to the hotel to get some rest before we go?

15. We still have some time left, but would you like to call it a day and go back to the hotel?※15

16. Are you ready? Then, let's go!

17. We're going to take the JR line.

18. This station is not on the Hanzomon Line, but on the Toei Shinjuku Line.

19. It's faster to go there by bus than train.

20. There's no train bound for Shinjuku Station from this station.

21. It takes about 20 minutes to get to Tokyo Station.

22. There are about ten stations before our destination station.

23. The Keihin Tohoku Line is at platform 3.

24. The train bound for Omiya Station leaves from platform 3.

25. We will go to platform 1.

※12：「夕食」の部分を「次の予約」にするには、dinnerをthe next reservationにします。
※15：call it a dayは慣用句で「今日はここまでにする」という意味です。

26. 次の駅で乗り換えます。

27. ２つ目の駅で、大江戸線に乗り換えます。

28. まずは丸ノ内線に乗ります。そのあと、新宿三丁目駅で副都心線に乗り換えます。

29. 乗り換えする必要はありません。

30. 特急や急行は、その駅には停まりません。

31. 各駅停車に乗ります。

32. 特急に乗ると早く着きます。

33. 昼間の時間帯は、快速電車は有楽町駅には停まりません。

34. 東京行きの最終電車は、もう行ってしまいました。

35. スマホで調べるので、ちょっと待っていてください。

36. 駅員さんに聞いてくるので、ちょっとここで待っていてください。

☞ 鉄道交通② 料金・電車・座席について伝える

Ch00-03

37. 運賃は、あちらにある運賃表で調べることができます。

38. 運賃は250円です。

26. We will change trains at the next station.

27. We will change to the Oedo Line at the second station from here.

28. We will first take the Marunouchi Line and then change to the Fukutoshin Line at Shinjuku Sanchome Station.

29. There's no need to change trains.

30. Limited express trains and express trains do not stop at that station.

31. We will take a local train. ※31

32. We can get there faster by taking a limited express train. ※32

33. Rapid trains do not stop at Yurakucho Station during the daytime. ※33

34. The last train bound for Tokyo Station has already left.

35. Just a second. I will check it out on my smartphone.

36. Can you wait here for a second? I will ask one of the station staff.

37. You can check your fare on the fare board there.

38. The fare is 250 yen.

※31：「各駅停車」は、事業者によって「普通列車」とも呼ばれます。
※32：「特急」を「急行」に変える場合、a limited express train を、an express trainにします。
※33：「快速」を「特別快速」に変える場合、rapid trainsをspecial rapid trainsにします。

39. 券売機はあそこにあります。

40. 1日乗り放題のワンデーパスがあります。こちらのほうが安く上がると思います。

41. この電車に乗るには、特急券が必要です。

42. 特急券は、700円です。

43. 特急券は、あそこにある自動券売機で買えます。

44. 座席を指定する場合、指定席券を購入する必要があります。どうしましょうか？

45. この列車は、全席禁煙です。

46. この列車には、喫煙ルームがあります。

47. この列車には、車内販売サービスがあります。

☞ 鉄道交通③ ホームにて&列車の運行状況などを伝える Ch00-04

48. 事故のため、運転見合わせ中です。

49. 車両点検のため、列車が遅れています。

50. 危険ですから、黄色い線の内側でお待ちください。

51. 列車は今、10分ほど遅れています。

52. 列車は、あと10分ほどで出発します。

39. The ticket vendor is over there.

40. A one-day pass is available. I think buying one would cost you less.

41. To use this train, you need a limited express ticket.

42. A limited express ticket is 700 yen.

43. You can buy a limited express ticket from the ticket vendor over there.

44. To reserve the seats, you need to buy a reserved seat ticket. What do you think?

45. This train is entirely no-smoking.

46. This train has smoking rooms.

47. Vendor service is available on this train.

48. The train services are now suspended due to an accident.

49. Trains are delayed due to a car inspection.

50. Please wait behind the yellow line for your safety. ※50

51. The train is currently running about ten minutes late.

52. This train will leave in about ten minutes.

※50：黄色の線が「視覚障害者誘導用ブロック」である場合、英語では、yellow warning blocks（黄色の警告ブロック）になります。

53. この列車は、回送列車です。

54. 今の時間、最後尾車両は女性専用です。

55. 先頭車両で待ち合わせしましょう。

56. 駅の改札を出たすぐのところで、待ち合わせしましょう。

☞ 鉄道交通④ 列車内で Ch00-05

57. この車両は、自由席です。

58. この車両は、指定席です。

59. これらの座席は、優先席です。

60. 優先席付近では、携帯電話は使用を控えるべきです。

61. ここでは、お静かに願います。

62. 混雑時には、リュックサックは前側に背負ってください。

63. この列車に、トイレはありません。

64. トイレは、４号車にあります。

65. 次の駅で降ります。

66. もうすぐ降ります。降りる準備をしてください。

53. This train is out of service.※53

54. The last car of the train is only for women at this time of the day.※54

55. Let's meet in the first car of the train.※55

56. Let's meet right outside the ticket gate.※56

57. This is a non-reserved seating car.

58. This is a reserved seating car.

59. These seats are priority seats.

60. You should refrain from using your phone near priority seats.

61. Please be quiet here.

62. In a crowded train, carry your backpack in front of you.

63. There are no toilets on this train.

64. The toilet is in car number 4.

65. We're getting off at the next station.

66. We're getting off shortly. Please get ready to go.

※53：「回送列車」はan out-of-service trainと言います。
※54：女性専用車両はwomen-only（passenger）carと言います。
※55：待ち合わせする人たちが、異なる駅から同じ列車に乗るという設定です。
※56：集合場所の駅に、関係者がそれぞれ異なる路線で行くという設定です。

☞ バス交通① バスに乗るまでの案内をする Ch00-06

67. 渋谷行きのバスは、２番乗り場から出ています。

68. ５番乗り場にお集まりください。

69. ここからだいたい、30分くらいかかります。

70. バスは時刻表より早く来ることもあるので、少なくとも５分前には乗り場に来てください。

71. バス車内で、英語による音声案内があります。

☞ バス交通② 料金関係を伝える Ch00-07

72. 料金は、大人が220円です。

73. 子供料金は、その半額です。

74. ６歳以下の子供は、無料です。

75. 私が全員分を払いますので、みなさんは料金を入れる必要はありません。

76. １日乗り放題のパスのほうが、安く上がります。（先払いの場合）

77. このバスでは、料金は先払いです。

78. 料金は先払いなので、あらかじめ小銭を用意しておいてください。

67. The bus bound for Shibuya leaves from stand No. 2.

68. Please gather at stand No. 5.

69. It takes about 30 minutes from here.

70. The bus might arrive earlier than the time on the time table, so please be at the stand at least five minutes earlier.

71. English guidance is available on the bus.

72. The fare is 220 yen for adults.

73. Children's fare is half that.

74. It's free for kids under seven.※74

75. I'll pay the fare for all of us, so you don't have to.※75

76. Buying a one-day pass would cost you less.

77. On this bus, you pay the fare when you get on.

78. You pay the fare when you get on the bus, so have your small change ready beforehand.

※74：日本語の「6歳以下」は、6歳を含みますが、英語のunder sixでは、6歳を含まないため、「6歳未満」に該当します。そのため、「6歳以下」の意味にするには、under seven、あるいは、children aged six or [and] underなどとします。
※75：ガイドがまとめて料金を払う設定です。

79. お札は、1000円札のみ使えます。

80. おつりは、自動的に出てきます。

81. さきに細かいほうのお金を入れてください。（後払いの場合）

82. 料金は、後払いです。

83. 乗るときに、必ず整理券を取ってください。

84. 整理券がなくても大丈夫です。私が運転手に伝えます。

85. 前方に、料金表示案内があります。

86. 整理券と同じ番号の箇所が、料金になります。

87. 料金は300円です。お金を今のうちに用意しておいてください。

☞ バス交通③ バス車内で Ch00-08

88. 奥の方へ進んでください。

89. つり革にしっかりつかまってください。

90. そこは優先席です。

91. 窓は開けないでください。

92. 降りるときに声を掛けますね。

93. 表参道という停留所で降ります。

94. 次の停留所で降ります。

95. 忘れ物のないように、気を付けてください。

79. You can use only 1,000 yen bills.

80. Your change will be returned automatically.

81. Insert your small change first. ※79.～81.

82. You pay the fare when you get off.

83. Be sure to take a numbered ticket when you get on.

84. Even if you didn't get the numbered ticket, don't worry. I'll tell the driver. ※84

85. There is a fare board in the front.

86. Your fare is indicated by the number of your ticket. ※86

87. Your fare is 300 yen. Please have it ready beforehand.

88. Please move back.

89. Please grab a strap and hold on tightly.

90. That's a priority seat.

91. Please do not open the window.

92. I'll tell you when we get off.

93. We'll get off at the stop named Omotesando.

94. We'll get off at the next stop.

95. Please make sure you have all of your belongings.

※79.～81.：は、後払いの場合でも使えるフレーズです。
※84：整理券を取り忘れた人がいた場合の説明です。
※86：バス車内前方の料金表示案内について説明している設定です。

観光バスの車内で Ch00-09

96. お荷物は上の棚に載せてください。

97. シートベルトをご着用ください。

98. 窓から手や顔を出さないでください。

99. バスが完全に停車するまで、座ってお待ちください。

100. 貴重品はお持ちください。

101. お荷物を置いて行かれる場合は、自己責任になります。

102. お出かけの前に、忘れ物がないかお確かめください。

103. 定時に出発しますので、ご注意ください。

104. この先お手洗いはありませんので、出発前にお済ませください。

観光施設にて① 入る前に Ch00-10

105. 一列に並んでお待ちください。

106. もう一歩お下がりください。

107. もう一歩お進みください。

108. もう少し、部屋の奥の方に詰めてください。

109. 列の最後尾にお並びください。

110. 立ち止まらずに、前へお進みください。

96. You can put your bags on the overhead rack.

97. Please fasten your seatbelt.

98. Please keep your head and arms inside the windows.

99. Please remain seated until the bus comes to a complete stop.

100. Please take your valuables with you.

101. Leave your personal belongings at your own risk.

102. Before you leave, please make sure you have everything with you.

103. Please make sure that we leave on time.

104. There are no restrooms along the way, so please go before we leave.

105. Please wait in a single-file line.※105

106. Please take a step backward.

107. Please take a step forward.

108. Please move over a little more toward the back of the room.

109. Please join the line at the end of the queue.

110. Please keep moving forward without stopping.

※105：二列の場合は、in a double-file line となります。

111. 待ち時間は、あと30分くらいです。

112. 予定の時刻までに、必ずここに集まってください。

113. この時計塔が、集合場所の目印です。

114. この先にロッカーがあります。

115. ロッカーは、無料です。

116. ロッカーは、100円かかります。

117. ロッカーから荷物を出すときに、100円玉が戻ってきます。

118. キャスター付きの荷物は持って入ることができません。ロッカーに預けてください。

119. 飲み物は、あちらの自動販売機で購入できます。

120. このお寺の境内に入るには、拝観料が必要です。

☞ 観光施設にて② 建物・施設内で Ch00-11

121. ここから天上が低くなっていますので、頭上に気を付けてください。

122. 足元にお気を付けください。

111. The waiting time is now about 30 minutes.

112. Please be sure to gather here by the appointed time.

113. Remember that this clock tower is the landmark for the gathering place.

114. You will find some lockers down that way.

115. These lockers are free of charge.

116. You need 100 yen to use the locker.

117. The 100-yen coin will be returned when you take your bag out of the locker.

118. You cannot bring in a wheeled bag. Please leave it in a locker.

119. Drinks are available at the vending machines there.

120. You need to pay an admission fee to get into the temple grounds.

121. The ceiling gets low from here, so please watch your head.

122. Please watch your step.

123. 建物の内部は、撮影禁止です。

124. 建物内では、飲食はできません。

125. 会場内は、左側通行です。

126. 会場内では、お静かに願います。

127. 建物の内部は、禁煙です。

128. ここは立ち入り禁止です。

129. 展示物に手を触れないように、お願いします。

130. こちらのゲートで、警備員による持ち物検査を受けてください。

131. このエリアでは、飲食物のお持ち込みはご遠慮ください。

132. ここで履物を脱いでください。

133. 履物は、ここにあるビニール袋に入れて携帯してください。

134. 公演中は、携帯電話の電源をお切りください。

135. お先にどうぞ。

136. すぐに近くの非常口に移動してください。

123. Taking photos is not allowed inside. ※123

124. Eating and drinking is not allowed inside.

125. Please walk on the left while inside the venue. ※125

126. Please be quiet in the venue.

127. Smoking is not allowed inside the building.

128. This area is off-limits.

129. Please do not touch the exhibits.

130. Please allow your belongings to be screened by security at this gate.

131. Please do not bring in food or drinks into this area.

132. Please take off your shoes here.

133. Please put your shoes in a plastic bag here and carry them with you.

134. Please switch off your mobile phone during the performance.

135. After you. ※135

136. Please move to the nearest emergency exit immediately.

※123 : Photos are not allowed inside.やNo photos inside.とも言えます。
※125 : Please keep to the left. とも言えます。
※135 : Go ahead.は、主に親しい間柄で用いられます。

☞ 街中での案内① クライアントを誘導する

Ch00-12

137. 私についてきてください。

138. 旗を持ったガイドについて行ってください。

139. この旗が目印です。見失わないようにしてください。

140. ガイドを途中で見失ったら、私の携帯電話に連絡をしてください。

141. 通路の左側をお通りください。

142. 次の角を左に曲がってください。

☞ 街中での案内② 自由時間について説明する

Ch00-13

143. 今から２時間の自由時間です。

144. 午後３時までに、必ずここにお戻りください。

145. 集合場所が分からなくなったら、できるだけ早く私に電話をしてください。

☞ 街中での案内③ その他 Ch00-14

146. 喫煙場所は、この公園の隅にあります。

147. このエリアは、全面的に禁煙です。

148. 無料でお飲み物を提供しています。

149. ここは、絶好の写真撮影スポットです。

137. Please follow me.

138. Please follow the guide holding a flag.

139. This flag is a sign. Be careful not to miss it.

140. If you have lost sight of the guide, please call me on my cell phone.

141. Please walk on the left side of the passage.

142. Turn left at the next corner.

143. We have two hours of free time starting now.

144. Please be sure to be back here by 3 p.m.

145. If you can't find the gathering place, please call me as soon as possible.

146. The smoking area is located in a corner of this park.

147. Smoking is not allowed throughout the whole area.

148. Beverages are provided free of charge.

149. This is the best spot to take photos.

150. 写真を撮ってあげましょうか？

151. 右手に見えるのが、東京スカイツリーです。

152. 左手をご覧ください。富士山が見えます。

153. ゴミはお持ち帰りください。

買い物案内① 買い物に連れていく Ch00-15

154. 今からお土産屋さんがあるエリアに移動します。

155. 英語の地図をもらってきますので、ここで待っていてください。

156. 英語の地図は、インフォメーションセンターでもらうことができます。

157. ここには、たくさんのお土産屋さんがあります。

158. 私は、お店の外で待っています。

159. 私は、このあたりで待っています。

160. 「いらっしゃいませ」は、「どうぞお店にお入りください」という意味です。特に返事する必要はありません。

買い物案内② 支払いについて説明する

Ch00-16

161. このお店では、クレジットカードが使えます。

162. このお店では、クレジットカードは使えません。

163. クレジットカードが使えないお店もあります。

164. ICカードでの支払いもできます。

150. Shall I take your picture?

151. You can see the Tokyo Sky Tree on your right.

152. Please look to your left. You can see Mt. Fuji.

153. Please take your trash home with you.

154. Now we move to the souvenir shop area.

155. I'll go and get an English map, so please wait here.

156. You can get an English map at the information center.

157. There are a lot of souvenir shops in this area.

158. I'll wait outside the shop.

159. I'll wait near here.

160. "Irasshaimase" means "welcome, please come in." Customers are not expected to respond.

161. You can use credit cards at this shop.

162. They don't accept credit cards at this shop.

163. Some shops don't accept credit cards.

164. You can pay with an IC card.

165. 日本の小売店では、一般的に値引き交渉はできません。

166. お店によって、消費税込みの値段表記の場合もあれば、消費税抜きの場合もあります。気になるときは、店員さんに聞いてみてください。

167. このお店は免税店です。

168. 免税品を買うには、パスポートを見せる必要があります。

169. 5,000円以上の買い物で免税対象となります。

170. 飲食品や化粧品などの消耗品の免税は、1日1店舗あたり、5,000円以上50万円未満のお買い物に適用されます。

171. 家電製品や衣類などの一般製品の免税は、1日1店舗あたり、5,000円以上のお買い物に適用されます。

172. 消耗品は、日本国内で開封されていないことを証明するために、指定された方法で包装されます。

173. 消耗品を免税で購入したら、絶対に開封しないでください。

174. （消耗品の）免税は、未開封で日本国外に持ち出すことが条件です。

165. Japan's retail shops basically don't allow for bartering.

166. Depending on the shop, the listed prices may or may not include the consumption tax. So if you're not sure, ask the clerk.

167. This is a duty-free shop.※167

168. You need to show your passport when purchasing duty-free goods.

169. Purchases of over 5,000 yen will be exempt from consumption tax.※169

170. For consumables including food and cosmetics, total purchases per shop per day of over 5,000 yen and less than 500,000 yen will be exempt from consumption tax.

171. For other products such as electrical appliances and clothing, total purchases per shop per day of over 5,000 yen will be exempt from consumption tax.

172. Consumable goods are wrapped in a designated way in order to show that they have not been opened within Japan.

173. If you have purchased consumable goods at a duty-free shop, do not open them.

174. The tax exemption is on the condition that they are taken out of Japan unopened.

※167：This shop is tax-free.という言い方もあります。
※169：be exempt from ～「～を免除される」という意味です。免税について説明するときによく使います。

☞ 買い物案内③ 買い物を手伝う Ch00-17

175. この食品の賞味期限は、長くありません。

176. この商品は、観光客にとても人気があります。

177. これは、今とても日本で流行っています。

178. これは、この地域だけでしか売っていません。

179. これは、このお店でしか買えません。

180. 他のお店には売っていないかもしれません。

181. これは、この季節だけの限定品です。

182. これは、空港では売っていないと思います。

183. ここで買っておいた方がいいと思います。

184. 他のお店でのほうが、安く買えると思います。

185. 何かお探しですか？

186. その商品の画像はありますか？

187. 何という商品名だったか、覚えていますか？

188. 一緒に探しますよ。

189. 何個買いたいのですか？

190. お店の人に聞いてみますね。

191. それのＬサイズは、売り切れです。

175. The recommended use-by date for this food is rather short.

176. This product is very popular among tourists.

177. This product is very popular in Japan now.

178. This product is only available in this region.

179. This product is only available at this shop.

180. This product may not be available at other shops.

181. This product is only available in this season.

182. I don't think this product is available at the airport. ※182

183. I think it's better to purchase it here.

184. I think this product is sold at cheaper prices at other shops.

185. Are you looking for something?

186. Do you have a photo of that product? ※186

187. Do you know the name of the product?

188. Let me help you find it.

189. How many pieces do you want to buy?

190. Let me ask the clerk about it.

191. The L size version is sold out.

※182：英語で、「～ないと思う」と言う場合、否定形にするのは「思う」の部分になります。したがって、I think this product is unavailable という語順は一般的ではありません。
※186：お客が探している商品の画像などがあるかを尋ねる設定です。

192. それの在庫は、あと2個しかないそうです。

193. これが最後の1個だそうです。

194. このお店には在庫がありませんが、3日くらいで他の店舗から取り寄せることはできるとのことです。

195. チラシに割引クーポンが載っていたと思います。

☞ 買い物案内④ ラッピングについて伝える

Ch00-18

196. このお店では、プレゼント用の包装をしてくれます。

197. シンプルな包装でよければ、ラッピングは無料です。

198. 箱に入れるラッピングだと、300円かかります。

199. リボンは、3種類から選べます。

200. 買った数だけ、小さい袋をもらうことができます。

192. For this product, they say they have only two left in stock.

193. They say this is the last one.

194. They say they don't have this product now, but they can have it delivered from another store in about three days.

195. I think the flier has a discount coupon.

196. They offer a gift wrapping service at this shop.

197. Simple wrapping is available free of charge.

198. Gift box wrapping is available for 300 yen.

199. You can choose from three different types of ribbons.

200. You can get as many small bags as you have purchased items.

Chapter 01 食べ物 1

◆無形文化遺産 Ch01-01

1. 和食は、日本料理を指します。

2. 和食は、無形文化遺産に登録されています。

3. 和食は、様々な種類の新鮮な食材が特徴です。

4. 和食は、ひとつひとつの食材が持つ自然の味を強調しようとします。

5. 日本の伝統的な食事は、ご飯と一汁三菜からなっています。

6. 日本の伝統的な食事は、健康的で栄養バランスに優れています。

7. 日本の伝統的な食事は、高たんぱく・低カロリーです。

8. 和食は、自然の美しさと季節の変化を反映しています。

9. 料理の盛り付けにおいて、花や葉などがしばしば用いられます。

10. 食事の器や用具は、季節に合うように気を配って選ばれます。

11. 和食は、伝統的な年中行事と密接な関連があります。

1. Washoku refers to Japanese cuisine.※1
2. Japanese cuisine is registered as an Intangible Cultural Heritage.
3. Japanese cuisine features various kinds of fresh ingredients.
4. Japanese cuisine tries to emphasize the natural flavor of each ingredient.
5. A traditional Japanese meal consists of rice, soup and three side dishes.※5
6. A traditional Japanese meal is healthy and well-balanced in nutrition.
7. A traditional Japanese meal is high in protein and low in calories.
8. Japanese cuisine reflects the beauty of nature and seasonal changes.
9. Flowers and leaves are often used in food arrangements.
10. Tableware and utensils are carefully chosen to match the season.
11. Japanese cuisine is closely related to traditional annual events.

※1：cuisineは、国や地域に独特の料理を指す不可算名詞です。foodは料理一般を指す不可算名詞（質量名詞）ですが、「食品」「食料」の意味では、しばしば、foodsと複数扱いになったり、ある特定の食べ物を指すときには、可算名詞になったりします。dishは一品料理を指す可算名詞です。
※5：mealは一回分の食事を意味する可算名詞です。

◆日本料理の調理法 Ch01-02

12. 日本の調理法の特徴のひとつは、うまみを利用することです。

13. うまみは、様々なアミノ酸によって作り出される美味しさの感覚です。

14. 典型的なうまみ成分は、グルタミン酸やイノシン酸などです。

15. グルタミン酸は、昆布に含まれます。昆布は、英語でkelpとして知られる海藻の一種です。

16. 乾燥した昆布を汁に漬けて、うまみ成分を引き出します。

17. イノシン酸は、魚や肉に含まれます。

18. 日本では、イノシン酸は、鰹節と呼ばれる乾燥したカツオから採られます。

19. 鰹節の製造では、煮たカツオを燻製にして乾燥させます。

20. 次に、その上にカビを培養して、アミノ酸を増加させます。

21. 調理においては、鰹節は薄片状に削られます。

22. その薄片を汁に漬けて、うまみ成分を引き出します。

23. うまみ成分を含む汁は、出汁（だし）と呼ばれます。

24. 出汁は、汁物、煮もの、つゆなどのベースに使われます。

25. 日本料理では、切る技術もとても重要です。

26. 事実、日本の料理人は、しばしば「板前」と呼ばれます。

12. One characteristic of Japanese cooking is the use of umami.

13. Umami is the sensation of deliciousness created by various amino acids.

14. Typical components of umami are glutamic acid and inosinic acid.

15. Glutamic acid is found in konbu. Konbu is a kind of seaweed known as kelp in English.

16. Dried konbu is soaked in a broth to extract the umami.

17. Inosinic acid is found in fish and meat.

18. In Japan, inosinic acid is obtained from katsuo-bushi, dried bonito.※18

19. In the process of making katsuo-bushi, boiled bonito is smoked and dried.

20. Then, mold is cultured on the surface to increase the amino acids.

21. During food preparation, katsuo-bushi is shaved into thin flakes.

22. The flakes are soaked in a broth to extract the umami.

23. The broth containing umami is called dashi.

24. Dashi is used as a base for soups, simmered dishes and sauces.

25. In Japanese cooking, cutting skills are also important.

26. In fact, Japanese cooks are often called "itamae."

※18：カツオの英名はskipjack tunaですが、日本料理においてはbonitoと呼ばれています。

27. 板前は、「まな板の前」という意味です。

28. 様々な種類の包丁があります。

29. 板前は、切る素材に応じて異なる形の包丁を使います。

30. 日本の包丁には、とても鋭い刃先があります。

31. 包丁は、しばしば日本刀と同じ工芸技術で作られています。

◆伝統行事との結びつき Ch01-03

32. 大晦日には、日本人はそば料理を食べる習慣があります。

33. そばは、ソバから作られる麺です。

34. 長いそば麺は、長寿を象徴しています。

35. お節とよばれる伝統的な正月の料理は、様々な縁起の良い食べ物からなっています。

36. 調理されたエビは、長寿を象徴しています。

37. エビの曲がった体が、お年寄りの曲がった腰に似ています。

38. 栗きんとんは、煮てすりつぶしたサツマイモと栗を混ぜて甘く味付けしたものです。

39. 栗きんとんは、黄金のような色をしているため、富を象徴しています。

40. 数の子は、味付けしたherring（ニシン）の卵です。

41. herringは、日本語で「ニシン」と呼ばれます。

27. Itamae means "in front of a cutting board."

28. There are various types of knives.

29. Chefs use different knives depending on what they are cutting.

30. Japanese knives have very sharp edges.

31. They are often made with the same crafting techniques as Japanese swords.

32. On New Year's Eve, the Japanese have a custom of eating soba dishes.

33. Soba are noodles made from buckwheat.

34. Long soba noodles symbolize long life.

35. Traditional New Year dishes called osechi consist of various auspicious food items.

36. Cooked shrimp symbolize long life.

37. The curved bodies of shrimp resemble the bent backs of elderly people.

38. Kuri-kinton is a sweetened mixture of boiled and mashed sweet potatoes and chestnuts.

39. Kuri-kinton symbolizes wealth because of its gold-like color.

40. Kazunoko is seasoned herring roe.

41. Herring is called nishin in Japanese.

42. ニシンは、「両親」という意味の日本語との語呂合わせです。

43. ですから、ニシンの卵は、子だくさんを象徴しています。

44. 昆布巻きは、煮た昆布で魚を巻いたものです。

45. コブ、または、コンブは、英語でkelpと呼ばれる海藻の一種です。

46. コブは、嬉しいことを意味する日本語の動詞の「喜ぶ」との語呂合わせです。

47. ですから、昆布巻きは、喜びや幸せを象徴しています。

48. 春分と秋分を中心に、彼岸と呼ばれる仏教行事が行われます。

49. 彼岸は、悟りの世界を意味します。

50. 彼岸は、亡くなった人の霊魂を慰める儀式です。

51. 彼岸には、ぼた餅と呼ばれる特別な食べ物が食されます。

52. ぼた餅は、あんこでくるんだ握り飯です。

53. ぼた餅という名前は、牡丹と呼ばれる春の花から来ています。

54. 秋の彼岸では、同じ食べ物が、しばしばおはぎと呼ばれます。

55. おはぎという名前は、萩と呼ばれる秋の花から来ています。

42. Nishin is a pun in Japanese meaning "both parents".

43. Therefore, nishin roe symbolizes fertility.※43

44. Kobu-maki is a roll of cooked kobu with fish in it.

45. Kobu or Konbu is a kind of seaweed called kelp in English.

46. Kobu is a pun in Japanese on the verb "yorokobu" meaning "to be happy".

47. Therefore, kobu-maki symbolizes joy and happiness.

48. Around the vernal and autumnal equinoxes, Buddhist services called higan are held.

49. Higan refers to the world of the enlightenment.※49

50. Higan is a ritual to console the souls of the deceased.

51. A special food called bota-mochi is eaten at higan.

52. Bota-mochi are rice balls coated with sweetened red bean paste.

53. The name bota-mochi derives from a spring flower called botan.

54. During the autumn higan, the same food is often called ohagi.

55. The name ohagi derives from an autumn flower called hagi.

※43：fertilityは「繁殖能力」の意味です。転じて、「子だくさん」「子孫繁栄」などを示唆します。
※49：「彼岸」の文字通りの意味は「川の向こう岸」で、転じて悟りの世界（涅槃=Nirvana）を指します。

◆食事の際の作法 Ch01-04

56. 食事を始める前に、「いただきます」と言うのが習慣です。

57. 食事を終えたら、「ごちそうさまでした」と言うのが習慣です。

58. どちらも、食事に対する感謝の気持ちを表すために使われます。

59. 和食は、箸を使って食べます。

60. 日本人には、食事のときに、お椀やお皿を手で持ち上げる習慣があります。

61. 器を口の近くに持ってくることで、どんな食べ物も箸で食べることができます。

62. たとえば、汁物の椀は、手で口の近くに持っていきます。

63. そして、お椀から直接、汁を飲みます。

64. 箸を使う際には、いくつかやってはいけないことがあります。

65. 食べ物を、箸から箸へと直接渡してはいけません。

66. 食べ物を、箸で突き刺してはいけません。

67. 食器を動かすのに、箸を使ってはいけません。

68. 日本では、食べるときに音を立てるのは、マナー違反だとみなされていません。

69. そばやラーメンなどの麺料理を食べるときは、すする音を立てても構いません。

70. 麺をすすることで、浸けつゆやスープも同時に飲むことができます。

71. 茶会では、お茶の最後の一口は、すすり音を立てて飲まれます。

56. Before starting a meal, it is customary to say "itadakimasu."

57. After finishing a meal, it is customary to say "gochisosamadeshita."

58. Both are used to express gratitude for the meal.

59. Japanese cuisine is eaten with chopsticks.

60. The Japanese have a custom of holding bowls and plates up when eating.

61. By bringing the vessel closer to the mouth, any food can be eaten with chopsticks.

62. For example, people will hold a soup bowl up to their mouths when eating.

63. Then, they drink the soup straight from the bowl.

64. There are several taboos when using chopsticks.

65. Do not pass food from one person's chopsticks to another.

66. Do not stab food with your chopsticks.

67. Do not use chopsticks to move tableware.

68. In Japan, making noises when eating is not regarded as bad manners.

69. It is okay to make slurping sounds when eating noodles like soba or ramen.

70. By slurping the noodles, you can drink the dipping sauce or soup broth at the same time.

71. At Japanese tea ceremony events, the last sip of tea is drunk with a sipping noise.

72. すすり音は、お茶を飲みほしたということを示します。

◆日本料理の食材 Ch01-05

73. 日本では、様々な種類の食用の根菜や海藻が食べられています。

74. 食用の根菜や海藻は、いずれも、たくさんのミネラルや食物繊維を含んでいます。

75. ゴボウやレンコンなどの食用の根菜は、しばしば煮物に使われます。

76. ゴボウは、burdockという植物の根です。

77. レンコンは、蓮の根です。

78. 海苔は、laverをシート状にして乾燥させたものです。

79. 海苔は、しばしば、おにぎりや巻きずしをくるむのに使われます。

80. ワカメという海藻は、味噌汁や麺料理のトッピングに使われます。

81. 昆布は、厚い種類の海藻です。英語でkelpと呼ばれます。

82. 乾燥した昆布は、日本のスープの素を作るのに使われます。できたスープは出汁と呼ばれます。

83. 結び昆布は、おでんの具に用いられます。おでんは、一種の煮物料理です。

84. ひじきという海藻は、しばしば小さく切った揚げ豆腐や刻みニンジンと一緒に調理されます。

85. もずくという海藻は、主に沖縄県で採れます。

86. もずくは、酢の物にします。

72. The sipping noise indicates the tea has been finished.

73. In Japan, various types of edible roots and seaweed are eaten.

74. Both edible roots and seaweed contain a lot of minerals and dietary fiber.

75. Edible roots such as gobo and renkon are often used for simmered dishes.

76. Gobo is burdock root.

77. Renkon is lotus root.

78. Nori is a sheet of dried laver.

79. Nori is often used to wrap rice balls and sushi rolls.

80. Wakame seaweed is used as a topping for miso soup and noodles.

81. Konbu is a thick type of seaweed. It's called kelp in English.

82. Dried konbu is used to make a Japanese soup stock. The stock is called dashi.

83. Knotted konbu are used as an ingredient for oden. Oden is a kind of simmered dish.

84. Hijiki seaweed is often cooked with deep-fried tofu bits and shredded carrot.

85. Mozuku seaweed is mainly found in Okinawa Prefecture.

86. Mozuku is made into vinegared dishes.

87. 豆腐とこんにゃくは、日本独特の健康食材です。

88. 豆腐は、豆乳を凝固させたもので、大豆から作られます。

89. 豆腐は、しばしば、調理せずに、醤油とおろしショウガで食べられます。

90. 豆腐は、しばしば、鍋物の材料として使われます。

91. 揚げ豆腐は、油で揚げた豆腐です。

92. 薄く作られた揚げ豆腐は薄揚げと呼ばれます。薄揚げは、味噌汁などに使われます。

93. 厚く作られた揚げ豆腐は厚揚げと呼ばれます。厚揚げは、焼いて食べられます。

94. 厚揚げは、おでんなどの煮物料理の具材としても使われます。

95. ワサビとして知られるhorseradishは、日本料理に欠かせない薬味です。

96. ワサビは抗菌作用があるため、生魚を用いた料理によく使われます。

97. 本物のワサビを意味する本ワサビは、日本産のワサビを指します。

98. ワサビは、練り物や粉末の形で売られています。

99. ワサビの練り物と粉末は、主にセイヨウワサビから作られます。

100. チューブ入りのワサビの練り物には、香りを出すために、本ワサビを少量含んだものもあります。

87. Tofu and konnyaku are healthy foods unique to Japan.

88. Tofu is bean curd made from soybeans.

89. Tofu is often eaten uncooked with soy sauce and grated ginger.

90. Tofu is often used as an ingredient for hot pot dishes.

91. Age-dofu is deep-fried tofu.

92. Thinly made age-dofu is called usu-age. It's often used for miso soup.

93. Thickly made age-dofu is called atsu-age. It's often eaten grilled.

94. Atsu-age is also used as an ingredient for simmered dishes, including oden.

95. Horseradish, known as wasabi, is an important condiment in Japanese cuisine.

96. Wasabi is commonly used for dishes using raw fish for its antibacterial effect.

97. Hon-wasabi, or genuine wasabi, refers to Japanese horseradish.

98. Wasabi is available for purchase in both paste and powder forms.

99. Wasabi pastes and powders are mainly made from Western horseradish.

100. Some wasabi paste tubes contain a bit of hon-wasabi to enhance its fragrance.

Chapter 02 食べ物２

◆みそとしょうゆ Ch02-01

1. 味噌は、発酵させた大豆の練り物です。
2. 味噌は、汁物や煮物の味付けに使われます。
3. 醤油は、大豆のソースです。
4. 醤油は、様々な料理の味付けや浸けたれなどに使われます。

◆すきやき Ch02-02

5. スキヤキは、薄く切った牛肉を豆腐や野菜と煮込んだ料理です。
6. スキヤキは、食卓で調理をしながら食べます。
7. 調理された食べ物は、溶き卵に浸けて食べます。

1. Miso is fermented soy bean paste.

2. Miso is used as a seasoning for soup and simmered dishes.

3. Shoyu is soy sauce.

4. Shoyu is used as a seasoning and a dip for various dishes.

5. Sukiyaki is a dish of thinly sliced beef cooked with tofu and vegetables.

6. Sukiyaki is eaten while being cooked at the table.

7. Cooked items are eaten dipped in beaten raw egg.※7

※7：eat ～ dipped in...「～を…に漬けて食べる」が受け身になって、～is eaten dipped in...となっています。似たような言い方にeat ～ raw「～を生で食べる」があり、これを受け身にするとOysters are often eaten raw.「カキはしばしば生で食べられます」のようになります。

◆すし Ch02-03

8. すしは、酢飯を用いた料理を指します。
9. すしには、様々な種類があります。
10. にぎりずしは、酢飯を丸めたものとネタからなっています。
11. にぎりずしで人気のネタには、マグロ、ハマチ、タイ、サケ、エビ、イカ、タコ、卵焼きなどがあります。
12. トロは、脂分の多いマグロです。
13. 軍艦巻は、海苔を側面に巻いたにぎりずしです。
14. 軍艦巻のネタとして一般的なものは、ウニやイクラなどです。ウニはsea urchinで、イクラはsalmon roeです。
15. 軍艦巻の文字通りの意味は、軍艦のような巻きずしです。
16. 軍艦巻という名称は、その形が軍艦に似ていることから来ています。
17. 巻きずしは、真ん中にいろんな具材を入れて丸めたすしです。
18. 鉄火巻は、真ん中にマグロを入れた巻きずしです。
19. かっぱ巻きは、真ん中にキュウリを入れた巻きずしです。
20. いなりずしは、丸めた酢飯を味付けした揚げ豆腐でくるんだものです。
21. ちらしずしは、桶に入れた酢飯に、小さく切ったエビ、卵焼き、シイタケなどを載せたものです。

8. Sushi refers to dishes using vinegared rice.

9. There are various types of sushi.

10. Nigirizushi consists of a vinegared rice ball and a topping.

11. Popular toppings for nigirizushi include tuna, yellowtail, sea bream, salmon, shrimp, squid, octopus and fried egg.

12. Toro is fatty tuna.

13. Gunkan-maki is a nigirizushi wrapped with nori seaweed on its sides.

14. Typical toppings for gunkan-maki are uni and ikura. Uni is sea urchin, and ikura is salmon roe.

15. Gunkan-maki literally means battleship roll.

16. The name gunkan-maki derives from its shape resembling a battleship.

17. Makizushi is a sushi roll with various ingredients in its center.

18. Tekkamaki is a sushi roll with tuna in its center.

19. Kappamaki is a sushi roll with cucumber in its center.

20. Inarizushi is a ball of vinegared rice wrapped with seasoned deep-fried tofu.

21. Chirashizushi is a vat of vinegared rice topped with bits of shrimp, fried egg and shiitake mushrooms.

◆てんぷら Ch02-04

22. てんぷらは、海産物や野菜を油で揚げた料理です。

23. てんぷらは、塩、または、天つゆと呼ばれる醤油ベースの浸けつゆで食べます。

24. 薬味として、おろし大根やおろしショウガなどが、つゆに加えられます。

◆うどんとそば Ch02-05

25. うどんは、小麦粉から作った麺です。

26. そばは、ソバ粉から作った麺です。

27. うどんとそばは、つゆに入れて温かくして出したり、冷たくして浸けつゆとともに出したりします。

28. うどんの浸けつゆには、しばしば、おろしショウガを薬味として加えます。

29. そばの浸けつゆには、しばしば、おろしワサビを薬味として加えます。

30. もりそばは、冷たいそばをそのまま浸けつゆとともに出します。

31. ざるそばは、もりそばに刻み海苔を載せたものです。

32. そば湯は、そば麺をゆでたあとに残ったお湯です。

33. そば湯は、しばしば、冷たいそばを食べた後の飲み物として出されます。

34. そば湯は、しばしば、そばを食べた後の残った浸けつゆに加えられます。

35. 温かいうどんとそばには、いろんな具材が載せられます。

22. Tempura is a dish of deep-fried seafood and vegetables.

23. It is eaten with salt or a shoyu-based sauce called tentsuyu.

24. Grated daikon radish and ginger are added to the sauce as condiments.

25. Udon are noodles made from wheat flour.

26. Soba are noodles made from buckwheat flour.

27. Udon and soba can be served hot in broth or cold with a dipping sauce.

28. Grated ginger is often added to the udon dipping sauce as a condiment.

29. Grated horseradish is often added to the soba dipping sauce as a condiment.

30. Morisoba are plain cold soba noodles served with a dipping sauce.

31. Zarusoba are morisoba topped with bits of nori seaweed.

32. Sobayu is the hot water left over from boiling soba noodles.

33. Sobayu is often served to be drunk after eating cold soba.

34. Sobayu is often added to the remaining dipping sauce after finishing the soba.

35. There are a variety of toppings for hot udon and soba.

36. 載せる具材には、てんぷら、生卵、ワカメという海藻、味付けをした油揚げ、調理した牛肉などがあります。

◆ラーメン Ch02-06

37. ラーメンは、麺と具材からなる、温かい汁料理です。

38. スープの出汁、麺、具材などは、お店や地域によって様々です。

39. 典型的なスープの出汁には、豚骨、鶏がら、魚介類などを使ったものがあります。

40. スープは、この出汁に、味噌、醤油、あるいは、塩などをもとにした調味料を加えて作ります。

41. 典型的な具材には、焼き豚、味付けゆで卵、メンマ、モヤシ、海苔、刻みネギなどがあります。

42. 膨大な種類の即席ラーメンもあります。

43. 使い捨てのカップに入った即席ラーメンもあります。

36. These toppings include tempura, a raw egg, wakame seaweed, seasoned deep-fried tofu and cooked beef.

37. Ramen is a hot soup dish consisting of noodles and toppings.

38. The soup stock, noodles and toppings vary depending on the shop and the region. ※38

39. Typical soup stocks include pork, chicken and fish broths.

40. The soup is made by adding seasonings based on miso, shoyu or salt to the broth.

41. Typical toppings include roasted pork, seasoned boiled eggs, pickled bamboo shoots, bean sprouts, nori seaweed and bits of spring onion.

42. There is also a wide variety of instant ramen.

43. Instant ramen is also available in a disposable cup.

※38：本書では、「出汁」の英語訳としてstockとbrothが出てきます。いずれもsoupや煮物のベースとなる、野菜、魚、肉などを煮込んだものですが、一般的に、stockは長時間煮込んだ濃い味のもの、brothは短時間煮込んだあっさりした味のものを指します。

◆懐石（茶懐石） Ch02-07

44. 懐石は、日本の伝統的なコース料理です。正式な茶会の前に出されます。

45. 懐石は、日本料理の最高技術とされています。

46. 懐石は、それを専門にする料理店でも出されます。

◆会席料理 Ch02-08

47. 会席料理は、日本の伝統的な宴会料理です。

48. 料理、飲み物、デザートなどのすべてが、一人用の会席膳に載せられます。

49. 会席料理は、本膳料理と呼ばれる日本の伝統的な正式料理から発達しました。

50. 本膳料理は、基本的に、3つの膳に載せられた様々な料理からなっています。

51. 本膳料理は、江戸時代に簡素化され、会席料理となりました。

44. Kaiseki is a traditional Japanese multicourse meal. It is served before a formal tea gathering. ※44

45. Kaiseki is regarded as the highest art of Japanese cooking.

46. Kaiseki is also served at restaurants specializing in it.

47. Kaiseki ryori is a traditional Japanese banquet-style meal.

48. Dishes, drinks and desserts are all placed on a single individual tray.

49. Kaiseki ryori developed from a traditional formal Japanese meal called honzen ryori.

50. Honzen ryori basically consists of various foods placed on three tray tables.

51. Honzen ryori was simplified into kaiseki ryori during the Edo Period. ※51

※44：「懐石料理」とも呼ばれますが、47以降の会席料理との混同を避けるために、懐石の名称を使っています。
※51：懐石はコース料理なので、食事をする人のペースに合わせて、順次料理を出していきますが、ここで言う会席料理は、会席膳を用いて全料理を一度に出す点が異なります。なお、会席料理にも、懐石のように一品ずつ出していくタイプ（喰い切り）もありますが、その場合、懐石ではご飯が最初に出るのに対し、会席料理ではご飯が最後に出る点が異なります。

◆どんぶりもの Ch02-09

52. どんぶりものは、お椀に盛ったご飯にいろんな具材を載せたものです。

53. 牛丼は、お椀に盛ったご飯に、薄く切った牛肉と玉ねぎを調理したものが載っています。

54. 親子丼は、お椀に盛ったご飯に、鶏肉と卵を調理したものが載っています。

55. かつ丼は、お椀に盛ったご飯に、切ったとんかつと卵を調理したものが載っています。

56. 天丼は、お椀に盛ったご飯に、海産物や野菜の天ぷらが載っています。

◆鍋もの Ch02-10

57. 鍋ものは、鍋で煮込んだ料理です。

58. 材料や出汁のベースによって、いろんな鍋ものがあります。

59. 鍋ものは、調理をしながら食べます。

60. 鍋ものは、複数の人たちと分け合うのが普通です。

61. 鍋ものは、冬場の理想の料理とされています。

62. 寄せなべは、肉、白身魚、野菜、豆腐などを一緒に煮込んだ鍋もの料理です。

52. Donburimono is a bowl of rice topped with various ingredients.

53. Gyudon is a bowl of rice topped with thinly sliced beef and onion cooked together.

54. Oyakodon is a bowl of rice topped with chicken bits and egg cooked together.

55. Katsudon is a bowl of rice topped with pork cutlet slices and egg cooked together.

56. Tendon is a bowl of rice topped with seafood and vegetable tempura pieces.

57. Nabemono is a hot pot dish.

58. There are many variations of nabemono with different ingredients and soup broths.

59. Nabemono is eaten while being cooked.

60. Nabemono is usually shared among a group of people.

61. Nabemono is regarded as an ideal dish in winter.

62. Yosenabe is a hot pot dish of meat, white fish, vegetables and tofu cooked together.

◆しゃぶしゃぶ Ch02-11

63. しゃぶしゃぶは、薄く切った牛肉、野菜、豆腐などを一緒に調理したものです。

64. しゃぶしゃぶを食べるときには、薄切り牛肉を煮立った出汁に、ほんの短い時間浸けます。

65. そのあと、その牛肉を特製ソースに浸けて食べます。

66. 肉をいくらか食べた後、野菜と豆腐が出汁に加えられます。

67. 調理された食べ物は、特製ソースに浸けて食べます。

68. その料理名は、布を洗う音に由来し、肉を洗う様子にたとえています。

69. しゃぶしゃぶには、海産物や牛肉以外の肉を使うこともあります。

◆精進料理 Ch02-12

70. 精進料理は、もともと、仏僧のために用意された野菜の料理です。

71. この料理は、仏教の不殺生戒（ふせっしょうかい）から生まれました。

72. 精進料理は、仏教寺院の近くにある料理店でよく出されます。

73. けんちん汁は、精進料理から生まれた典型的な料理です。

74. けんちん汁は、野菜と豆腐を使った汁物料理です。

63. Shabu shabu is a dish of thinly sliced beef, vegetables and tofu cooked together.

64. To eat shabu shabu, a slice of beef is dipped in a simmering broth for just a short time.

65. The beef is then dipped in a special sauce before being eaten.

66. After eating a bit of meat, vegetables and tofu are added to the broth.

67. The cooked items are eaten dipped in the sauce.

68. The dish name comes from the sound of cloth being washed, likened to washing meat.

69. Some shabu shabu dishes use seafood or other kinds of meat than beef.

70. Shojin ryori is a vegetarian dish originally prepared for Buddhist monks.

71. The dish was born out of the Buddhist prohibition of taking any life.

72. Shojin ryori is often served at restaurants near Buddhist temples.

73. Kenchinjiru is a typical dish born out of shojin ryori.

74. Kenchinjiru is a soup dish containing vegetables and tofu.

◆焼き鳥 Ch02-13

75. やきとりは、串刺しにして焼いた鶏肉です。

76. やきとりは、塩や甘くした醤油で味付けします。

77. やきとりには、内臓を含む、鶏のいろんな部位が使われます。

78. やきとりには、豚肉や牛肉、および、豚や牛の内臓も使われます。

79. やきとりには、野菜やウズラの卵も使われます。

◆お好み焼き Ch02-14

80. お好み焼きは、肉や野菜を使った、甘くないパンケーキの一種です。

81. お好み焼きは、普通、スパイスの効いた濃厚ソースやマヨネーズで味付けします。

82. お好み焼きは、しばしば、客席に取り付けられた鉄板で調理します。

83. 大阪と広島は、それぞれ独自のお好み焼きで有名です。

75. Yakitori is skewered, grilled chicken.

76. Yakitori is seasoned with salt or sweetened soy sauce.

77. Various parts of chicken, including its guts, are used for yakitori.

78. Pork and beef, along with their guts, are also used for yakitori.

79. Vegetables and quail eggs are also used for yakitori.

80. Okonomiyaki is a savory pancake containing meat and vegetables.※80

81. It is usually seasoned with a thick savory sauce and mayonnaise.

82. It is often cooked on an iron plate attached to customers' tables.

83. Osaka and Hiroshima are famous for their original versions of okonomiyaki.

※80：savoryは、「甘い食べ物ではなく、塩やスパイスで味を付けた食べ物」を意味するときに用いられる語です。

◆たこ焼き Ch02-15

84. たこ焼きは、ぶつ切りのタコが入った、小さな球形の甘くないパンケーキです。

85. たこ焼きは、しばしば、ファストフードとして屋台で出されます。

◆回転ずし Ch02-16

86. 回転ずしは、低価格のすし店です。

87. 皿に載せたすしが、回転するベルトコンベアに載って出されます。

88. 客は、好みのすしの皿を取ります。

89. 皿のデザインによって、価格が異なっています。

90. 勘定は、取った皿の数に基づいて計算されます。

◆ファミリーレストラン Ch02-17

91. ファミリーレストランは、家族連れの客のためのチェーンレストランです。

92. ファミリーレストランは、あらゆる年齢層の客に様々な種類の料理を出します。

84. Takoyaki are small, ball-shaped savory pancakes containing octopus bits.

85. Takoyaki is often served as fast food at stalls.

86. Kaitenzushi is an inexpensive kind of sushi restaurant.

87. Plates of sushi are served on a circulating conveyor belt.

88. Customers can take plates of their favorite sushi.

89. The prices vary depending on the motif of the plate.

90. The total check is calculated based on the number of the plates taken.

91. Family restaurants are chain restaurants for family customers.

92. They serve various kinds of cuisine for customers of all ages.

◆B級グルメ Ch02-18

93. Ｂ級グルメは、低価格ではあるが、グルメ志向の美味しい料理を指します。

94. Ｂ級グルメには、どんぶりものや麺料理の他、地域的に人気のごちそうなどが含まれます。

◆洋食 Ch02-19

95. 洋食は、日本料理と西洋料理が融合したものを指します。

96. 洋食は、西洋料理を日本人の好みに合わせるために発明されました。

97. オムライスは、典型的な例です。オムレツと焼き飯を融合させた料理です。

◆弁当 Ch02-20

98. 弁当は、弁当箱に入れた食事です。

99. コンビニやスーパーで、多種多様な弁当が売っています。

100. 弁当は、しばしば、携帯食として、家庭で作られたりもします。

93. B-kyu gurume refers to inexpensive yet gourmet-like delicious dishes.

94. B-kyu gurume includes donburimono, noodle dishes and other regionally popular delicacies.

95. Yoshoku refers to hybrid Japanese and Western dishes.

96. They were invented to make Western dishes more suitable for Japanese tastes.

97. Omuraisu is a typical example. It is a hybrid of an omelet and fried rice.

98. Bento is a meal packed into a lunch box.

99. A wide variety of bento are available at convenience stores and supermarkets.

100. Bento are also often prepared at home as a portable meal.

Chapter 03 飲み物

◆緑茶 Ch03-01

1. 緑茶は、日本のgreen teaです。
2. 世界中にあるすべての茶の木は、同じ種です。
3. 茶樹(ちゃのき)は、中国から世界中に広まりました。
4. ヨーロッパの茶葉は、発酵させてあります。
5. 日本の緑茶は、発酵させてありません。
6. 茶葉には、発酵を引き起こす酵素が含まれています。
7. 茶葉を揉むことで、その酵素が茶葉を発酵させます。
8. 日本では、茶葉を揉む前に蒸して、発酵を食い止めます。
9. ウーロン茶は、半発酵させた茶葉です。
10. ウーロン茶は、発酵の途中で茶葉を炒って作られます。
11. 抹茶は、粉末にした緑茶です。
12. 抹茶は、高級な茶葉から作られます。
13. 抹茶は、茶の湯に用いられます。
14. 茶の湯では、お湯を抹茶に加えます。
15. その混合物を、茶を混ぜる道具で素早く掻き混ぜます。

1. Ryokucha is Japanese green tea.
2. All tea plants around the world are the same species.
3. Tea plants spread from China to the rest of the world.
4. European tea leaves are fermented.※4
5. Japanese green tea leaves are not fermented.
6. Tea leaves contain a fermentation-causing enzyme.
7. By rolling the tea leaves, the enzyme ferments the leaves.
8. In Japan, tea leaves are steamed before being rolled to stop the fermentation.
9. Oolong tea leaves are half-fermented.
10. Oolong tea is made by roasting the leaves in the middle of the fermentation process.
11. Matcha is powdered green tea.※11
12. Matcha is made from high-quality tea leaves.
13. Matcha is used for the Japanese tea ceremony.
14. In the tea ceremony, hot water is added to matcha.
15. The mix is quickly stirred with a tea whisk.

※4：化学分野で言う発酵と違い、酸化現象の一つですが、食品分野では「発酵」や「酸化発酵」と呼ばれます。
※11：抹茶は、碾茶（てんちゃ、特殊な方法で栽培した抹茶の原料）を粉末にしたもので、一般に飲まれる煎茶を粉末にしたものは粉末茶と呼ばれます。

16. その道具は、茶筅（ちゃせん）と呼ばれます。

17. 抹茶は、ケーキやパフェなどのお菓子にも使われます。

18. 茶を飲む習慣は、栄西という名の禅僧によって、日本に広められました。

19. 栄西は、禅宗の臨済宗の開祖です。

20. 初期には、緑茶は、薬の一種として飲まれていました。

21. 中世になると、茶を飲む習慣が禅僧の間に広まりました。

22. 16世紀後期に、茶の湯は、千利休によって大成されました。

23. 抹茶はとても高価で、庶民には手が届きませんでした。

24. 17世紀に、売茶翁（ばいさおう）という禅僧が、煎じて飲む煎茶を紹介しました。

25. 煎茶であれば、品質が低い茶葉でも使うことができます。

26. 煎茶専用の茶葉は、いくつかの等級に分けられています。

27. 玉露は、高級品の茶です。

28. 煎茶は、中級品の茶です。

29. 番茶は、低級品の茶です。

30. 煎茶の導入によって、庶民も緑茶を楽しむようになりました。

31. 煎茶は、食事やお菓子とともに、気軽に飲まれます。

32. 日本では、緑茶に砂糖を入れることはありません。

16. The whisk is called a chasen.

17. Matcha is also used for sweets such as cakes and parfaits.

18. The custom of drinking tea was made popular in Japan by a Zen monk named Eisai.

19. Eisai was the founder of the Rinzai Sect of Zen Buddhism.

20. In the early days, green tea was drunk as a kind of medicine.

21. In the Middle Ages, the custom of drinking tea spread among Zen monks.

22. In the late 16th century, the tea ceremony was perfected by Sen no Rikyu.

23. Matcha was very expensive, so ordinary people could not afford it.

24. In the 17th century, a Zen monk named Baisao introduced sencha, brewed tea.

25. For brewed tea, even low quality tea leaves can be used.

26. Tea leaves used for brewed tea are classified into several grades.

27. Gyokuro is quality tea.

28. Sencha is medium tea.

29. Bancha is coarse tea.

30. With the introduction of sencha, ordinary people started to enjoy green tea.

31. Sencha is casually drunk together with meals and sweets.

32. In Japan, sugar is not added to green tea.

33. しかし、冷たい抹茶には、砂糖が加えられることがあります。

34. 粉末茶は、煎茶用の茶葉から作った粉末の緑茶です。

35. 粉末茶は、しばしば、回転ずし店で出されます。

36. 日本のお茶には、玄米茶、ほうじ茶、麦茶など、他のいろんな種類のものが含まれます。

37. 玄米茶は、炒った玄米を番茶に加えて作ります。

38. ほうじ茶は、茶葉を焙じたものです。

39. ほうじ茶は、茶葉以外の葉っぱを焙じて作ることもできます。

40. 麦茶は、炒った大麦から作られます。

◆日本酒 Ch03-02

41. 酒は、一般的に、あらゆる種類のアルコール飲料を指します。

42. 酒は、しばしば、特に日本酒（ライスワイン）を指します。

43. 日本酒の歴史は、古代にさかのぼります。

44. 日本酒は、神道の神に供える神聖な飲み物です。

45. 日本酒は、様々な神道の儀式でも用いられます。

46. 日本酒は、米から作った醸造酒です。

47. 日本酒のアルコール度は、約15%です。

48. 日本酒の製造は、２つの工程が同時進行します。

33. Sugar may, however, be added to iced matcha tea.

34. Funmatsucha is powdered green tea made from sencha tea leaves.

35. Funmatsucha is often served at kaitenzushi restaurants.

36. Japanese tea includes other varieties such as genmaicha, hojicha and mugicha.

37. Genmaicha is made by adding roasted brown rice to bancha.

38. Hojicha is made by roasting the tea leaves.

39. Hojicha can also be made by roasting leaves other than just tea leaves.

40. Mugicha is made from roasted barley.

41. Sake generally refers to any type of alcoholic drink.

42. Sake often specifically refers to nihonshu, rice wine.

43. The history of nihonshu goes back to ancient times.

44. Nihonshu is a sacred drink offered to Shinto deities.

45. Nihonshu is also used for various Shinto rituals.

46. Nihonshu is a fermented liquor made from rice.

47. The alcohol content of nihonshu is around 15 percent.

48. When making nihonshu, two different processes are carried out at the same time.

49. 米粒は、糖分を含みません。

50. 最初に、米のでんぷんが、麹と呼ばれるカビによって糖に変化します。

51. 次に、その糖分が、イースト菌によってアルコールに変化します。

52. 発酵が終わると、発酵したどろどろの汁から液体が抽出されます。

53. 高級な日本酒には、酒米(さかまい)と呼ばれる特別な米が使われます。

54. 米は、でんぷん、脂質、タンパク質などを含んでいます。

55. 酒米は、タンパク質の含有量が普通のコメよりも少なめです。

56. でんぷん以外の成分は、表面に集中しています。

57. 米粒の表面を削ることで、必要でない成分を取り除くことができます。

58. 日本酒の品質は、精米歩合によって提示されます。

59. 精米歩合は、精米した後の残った米粒の重さの割合を指します。

60. 大吟醸は、精米歩合が50%以下で造られた酒を指します。

61. 吟醸は、精米歩合が50%から60%で造られた酒を指します。

62. 本醸造は、精米歩合が60%から70%で造られた酒を指します。

63. これらの酒は、しばしば、少量の添加アルコールを含みます。

64. 添加アルコールは、酒の香りと味を向上させます。

65. 添加アルコールをまったく使わない酒は、純米酒と呼ばれます。

49. Rice grains contain no sugar.

50. First, rice starch is made into sugar by a mold called koji.

51. This sugar is then made into alcohol by yeast.

52. After fermentation, liquid is extracted from the fermented mash.

53. For quality sake, special rice called sakamai is used.

54. Rice contains starch, fat and protein.

55. Sakamai rice contains less protein than ordinary rice.

56. Substances other than starch collect on the surface.

57. By polishing the surface of the grains, unwanted substances can be removed.

58. The quality of nihonshu is indicated by seimai-buai.

59. Seimai-buai refers to the percentage of rice grain weight remaining after polishing.

60. Daiginjo refers to sake made with a seimai-buai of 50% or less.

61. Ginjo refers to sake made with a seimai-buai of 50 to 60%.

62. Honjozo refers to sake made with the seimai-buai of 60 to 70%.

63. They often contain small amounts of added alcohol.

64. The added alcohol can improve the aroma and taste of sake.

65. Sake with no added alcohol is called junmai-shu.

66. 精米歩合によって、純米酒は、純米大吟醸、純米吟醸、純米酒に分類されます。

67. 普通酒と呼ばれる、日常消費用の安い酒もあります。

68. 普通酒に対する品質要件は、定められていません。

69. 日本酒は、冷たくしても、温かくしても出すことができます。

70. 日本酒の三大醸造地は、兵庫県の灘、京都府の伏見、広島県の西条です。

◆焼酎 Ch03-03

71. 焼酎は、蒸留酒です。

72. 焼酎は、ウォッカやテキーラに似ています。

73. 焼酎は、米、麦、サトウキビ、ソバ、サツマイモなどの様々な材料から作ることができます。

74. 焼酎の味は、材料によって異なります。

75. 焼酎のアルコール度数は、普通、20度か25度です。

76. 焼酎には、単式蒸留酒と連続蒸留酒があります。

66. Depending on the seimai-buai, junmai-shu are further classified as Junmai Daiginjo, Junmai Ginjo or Junmai-shu.※66

67. There are also cheaper table sake called futsushu.※67

68. There are no quality requirements for futsushu.

69. Nihonshu can be served either cold or warm.

70. The three most famous sake-producing areas are Nada in Hyogo Prefecture, Fushimi in Kyoto Prefecture and Saijo in Hiroshima Prefecture.

71. Shochu is a distilled drink.

72. Shochu is similar to vodka or tequila.

73. Shochu can be made from various ingredients such as rice, barley, sugarcane, buckwheat and sweet potatoes.

74. The taste of shochu is different depending on the ingredient.

75. The alcohol content of shochu is usually 20 or 25%.

76. There are tanshiki-joryu-shu and renzoku-joryu-shu in shochu.

※66：純米酒の場合は、精米歩合が50%以下のものを純米大吟醸、60%～50%のものを純米吟醸と分類しますが、純米酒には精米歩合の制限がありません。
※67：産地表示などの規制が緩い日常消費用のワインをtable wineと呼びますが、table sakeは、それに倣った表現です。

77. 単式蒸留酒は、一度のみの蒸留で作られた焼酎を指します。

78. 単式蒸留酒は、原材料の香りや味を含んでいます。

79. このタイプの焼酎を作るには、原材料が高級でなければなりません。

80. 単式蒸留酒は、本格焼酎（本物の焼酎）と呼ばれます。

81. その独特の香りのために、他の飲み物と混ぜるのには向いていません。

82. この焼酎は、普通、ロック、水割り、お湯割りなどで飲まれます。

83. 連続蒸留酒は、連続蒸留によって作られた焼酎を指します。

84. 連続蒸留することで、純度の高いアルコールを得ることができます。

85. このアルコールを水で薄めて、20度か25度にします。

86. 連続蒸留酒は、主にアルコールと水からなっています。

87. そのため、低品質の材料からでも作ることができます。

88. 連続蒸留酒は、しばしば、「甲類」と呼ばれます。

89. 甲類焼酎は、他の飲み物と混ぜるのに向いています。

90. 酎ハイは、焼酎で作ったハイボールのことです。

91. 酎ハイの名称に倣って、焼酎のカクテルは、「○○ハイ」と呼ばれます。

77. Tanshiki-joryu-shu refers to sochu made by a single distillation process.

78. Tanshiki-joryu-shu contains the aroma and flavor of the original ingredients.

79. To make this type of shochu, the ingredients need to be of high quality.

80. Tanshiki-joryu-shu is called honkaku shochu, or genuine shochu.

81. Because of its distinctive flavor, it is not suitable for mixing with other drinks.

82. It is usually drunk on the rocks, with ice and water or with hot water.

83. Renzoku-joryu-shu refers to shochu made by a continuous distillation process.

84. Through continuous distillation, alcohol of a high purity can be obtained.

85. It is watered down to either 20 or 25%.

86. Renzoku-joryu-shu consists mostly of alcohol and water.

87. So, it can be made from even lower quality ingredients.

88. Renzoku-joryu-shu is often called "ko-type" shochu.

89. Ko-type shochu is suitable to mixed drinks.

90. Chu-hai refers to highball cocktails made with shochu.

91. Following the trend of the name of chu-hai, shochu cocktails are called something-hai.

92. たとえば、レモンジュースと混ぜた焼酎は、「レモンハイ」と呼ばれます。

93. ウーロン茶と混ぜた焼酎は、「ウーロンハイ」と呼ばれます。

94. 焼酎は、梅酒を作るのにも用いられます。

95. 梅酒は、日本産の梅を焼酎に漬けて作ります。

96. 沖縄県で作られる焼酎は、泡盛と呼ばれます。

97. 泡盛は、タイから輸入された米で作られます。

98. 泡盛のアルコール度数は、20度から40度と様々です。

99. 泡盛には、アルコール度数が60度を超えるものもあります。

100. 3年以上熟成させた泡盛は、古酒（クース）と呼ばれます。

92. For example, shochu mixed with lemon juice is called "lemon-hai."

93. Shochu mixed with oolong tea is called "oolong-hai."

94. Shochu is also used to make umeshu.

95. Umeshu is made by steeping Japanese plums in shochu.

96. Shochu made in Okinawa Prefecture is called awamori.

97. Awamori is made from rice imported from Thailand.

98. The alcohol content of awamori varies from 20 to over 40%.

99. Some Awamori have an alcohol content of over 60%.

100. Awamori aged for over three years are called kusu.

Chapter 04 神道 1

◆神社と神道 Ch04-01

1. 神社は、神道のための宗教施設です。
2. 神社は、英語では通常Shinto shrineと呼ばれます。
3. 神道は、日本固有の宗教です。
4. 神道では、自然と先祖を崇拝します。
5. 神道には、数多くの神がいます。
6. 神道の神は、八百万いると言われます。
7. 神道の神々は、自然現象や先祖の霊に由来します。
8. 神道の神は、基本的に見えません。
9. しかし、記紀神話においては、神は、古代の日本の衣装をまとった人物として描かれることが多くあります。

1. Jinja are religious facilities for Shinto.※1

2. Jinja are usually called Shinto shrines in English.

3. Shinto is Japan's native religion.

4. Shinto worships nature and ancestors.

5. Shinto has many deities.※5

6. It is said that there are eight million Shinto deities.

7. Shinto deities derive from natural phenomena and ancestral spirits.

8. Shinto deities are basically invisible.

9. But in mythology, they are often depicted as figures in ancient Japanese clothing.※9

※1：本書では、名称を持つ特定の神社は固有名詞として扱ってありますが、同じ名称の神社を複数指す場合、～sを付けないまま複数扱いにしてあります。
※5：神は、godと訳しても結構です。ただし、神道のような多神教の神は、deityと呼ばれる傾向があります。godを用いるときの注意点は、英語圏の人が音で聞いた時に、キリスト教の絶対唯一神のGodと勘違いする可能性があることと、godには女性形のgoddessがありますが、神道·仏教の神は性別が明確でない場合もあるため、説明が不正確になる可能性があることです。そのような場合は、deityのほうが使いやすい単語と言えます。
※9：記紀神話は「古事記」と「日本書紀」で語られる神話を指します。

◆神道の歴史 Ch04-02

10. 神道は、原始時代にアニミズム（精霊信仰）の一種として始まりました。

11. アニミズムでは、あらゆる物体の中に存在する精霊を信仰します。

12. のちに、それらの精霊が神とみなされるようになりました。

13. 神道は、これらの神々を崇拝する方法として発達しました。

14. ですから、神道の神は、あらゆる物体に宿ると考えられています。

15. 人々は、神を崇拝するために、神道の儀式を執り行いました。

16. 人々は、儀式を行うために、神道の神社を作りました。

17. 神社は、地域社会の中心に位置しています。

18. 神社には、神聖な御神体が納めてあります。

19. 御神体には、鏡、剣、玉などがあります。

20. 神道の神は、この御神体に降りてくると考えられています。

21. ８世紀ごろまでに、日本の記紀神話が成立しました。

22. 記紀神話では、それぞれの神に名前と性格が与えられています。

23. 記紀神話は、神道の神の系譜を明示しています。

24. 初期の重要な神に、アマテラスがいます。

25. アマテラスは、皇室の祖先とされています。

26. アマテラスは、三重県の伊勢神宮に祀られています。

10. Shinto began as a form of animism in primitive times.

11. Animism worships the spirits residing in all things.

12. Later, these spirits came to be seen as deities.

13. Shinto developed as a way to worship these deities.

14. Therefore, Shinto deities are thought to reside in all things.

15. People held Shinto rituals to worship the deities.

16. People built Shinto shrines for holding rituals.

17. Shrines are located in the center of their surrounding community.

18. Shrines house sacred objects of worship.

19. These objects include mirrors, swords and jewels.

20. Shinto deities are thought to descend down to these objects.

21. By the 8th century, Japanese mythology was established.

22. In Japanese mythology, each deity is given its own name and personality.

23. Japanese mythology specifies the lineages of Shinto deities.

24. One of the principal early deities is Amaterasu.

25. Amaterasu is regarded as an ancestor of the Imperial family.

26. Amaterasu is enshrined at Ise Shrine in Mie Prefecture.

27. 他の神々も、様々な神社で祀られています。

28. 神社と神々は、複製することができます。

29. 複製された神々は、分社で祀られます。

30. ですから、同じ神が、多くの別の場所で崇拝されます。

31. 特定の地域で信仰されている神は、氏神と呼ばれます。

32. 氏神は、地元の地域社会を守護するとされています。

33. 氏神を崇拝する人たちは、氏子と呼ばれます。

34. 氏子は、地元の神社を援助します。

35. 氏子は、氏神のために様々な儀式を行います。

36. それらの儀式には、地元の祭りが含まれます。

37. 氏神は、地域住民の統合の象徴です。

38. 20世紀初期、神道は、日本の国家宗教となりました。

39. 神道は、国民に国粋主義を教え込むために利用されました。

40. 戦後、国家神道は廃止されました。

41. 今日では、信教の自由が憲法によって保障されています。

42. 憲法はまた、政教分離も規定しています。

27. Other deities are also enshrined at various shrines.

28. Shinto shrines and deities can be duplicated. ※28

29. Duplicated deities are enshrined at branch shrines. ※29

30. So, the same deities are worshiped in many different places.

31. Deities worshiped in a specific region are called Ujigami.

32. Ujigami are believed to guard the local community.

33. The worshippers of the Ujigami are called Ujiko. ※33

34. Ujiko support their local shrine.

35. Ujiko hold various rituals for the Ujigami.

36. These rituals include local festivals.

37. Ujigami is a symbol of the unity of the local people.

38. In the early 20th century, Shinto was made the state religion of Japan.

39. Shinto was used to teach nationalistic ideas to the nation.

40. After the war, State Shinto was abolished.

41. Today, the freedom of religion is guaranteed by the constitution.

42. The constitution also stipulates the separation of religion and politics.

※28.と29.合わせて、本社から分社が作られ、神もそこに分祀されることを意味しています。
※33：本来、氏神は一族の守護神を指しますが、その土地に住む人たち全員の守護神とも考えられるようになりました。一方、土地の守護神は産土神（うぶすながみ）と呼ばれ、氏神とは別の存在でしたが、次第に両者は同一視されるようになり、現在に至ります。

◆神社の構造物 Ch04-03

43. 神社には、入口に鳥居と呼ばれる簡素な門があります。

44. 鳥居は、天辺に２本の横木を渡した２本の支柱からできています。

45. 鳥居は、神社内部の聖域と外部の世俗域の境界を示しています。

46. 一番外側にある鳥居から、参道が本殿まで続いています。

47. 参道の途中、他に鳥居をいくつか見かけるかもしれません。

48. 鳥居には、白木のものと、朱に塗ったものがあります。

49. もともと、鳥居は白木でした。

50. 仏教では、朱の色は、邪気を追い払う力があると考えられています。

51. 仏教の影響で、一部の神社では、鳥居や建造物が朱に塗られるようになりました。

52. 本殿に至る前に、手水舎(てみずしゃ)と呼ばれる水鉢があります。

53. 鳥居や本殿には、よじった綱が掛けてあることがよくあります。

54. これらの綱は、注連縄(しめなわ)と呼ばれます。

55. 注連縄は、神の存在を示します。

56. 神社には、一対の犬の像がよく見られます。

57. それらは、狛犬と呼ばれる、想像上の生き物です。

58. 狛犬は、邪気を追い払うとされています。

43. Jinja have simple gates called torii at their entrances.

44. A torii consists of two pillars and two crossbars at the top.

45. The torii indicates the boundary between the sacred area inside the shrine and the worldly area outside.

46. There is an approach leading from the outermost torii to the main hall.

47. You might find several other torii along the approach.

48. Torii can be either unpainted or painted red.

49. Originally, torii gates were unpainted.

50. In Buddhism, the color red is thought to have the power to ward off evil.

51. Under the influence of Buddhism, torii and other structures came to be painted red at some shrines.

52. Before reaching the main hall, there's a water basin called temizu-sha.[※52]

53. Twisted ropes are often hung at torii gates and main halls.

54. These ropes are called shimenawa.[※54]

55. The shimenawa indicate the presence of deities.

56. You can often see a pair of dog-like statues at jinja.

57. They are called komainu, an imaginary creature.[※57]

58. They are believed to ward off evil.

※52：手水舎は「ちょうずや」「てみずや」などとも呼ばれます。
※54：注連縄に付けられている紙は、紙垂（しで）と呼ばれます。
※57：狛犬は寺院にも見られます。

◆神社の種類 Ch04-04

59. 神社は、全国に8万社あると言われます。

60. 神社は、祀られている神によって名称が異なります。

61. 日本最古の神社のひとつが、三重県にある伊勢神宮です。

62. 伊勢神宮は、最大規模の神道系宗教法人の中心です。

63. 別の古代の神社に、島根県の出雲大社があります。

64. 出雲大社は、大国主を祀っています。

65. 記紀神話によると、日本はもともと大国主が統治していました。

66. しかし、大国主は統治権をアマテラスの子孫に譲りました。

67. 代わりに、出雲大社が、大国主を崇拝するために作られました。

68. 今日、大国主は、縁結びの神として崇拝されています。

69. 良きパートナーを見つけたいと思う多くの人が、出雲大社を訪れます。

70. 稲荷神社は、豊作の神を祀っています。

71. 稲荷神社には、普通、数多くの赤い鳥居が並ぶ参道があります。

72. 稲荷神社には、普通、一対のキツネの像があります。

59. There are said to be over 80,000 jinja across the country.

60. Jinja have different names depending on the deities enshrined.

61. One of the oldest jinja in Japan is Ise Shrine in Mie Prefecture.

62. Ise Shrine is the headquarters of the biggest Shinto organization.※62

63. Another jinja from ancient times is Izumo Taisha in Shimane Prefecture.

64. Izumo Taisha enshrines Okuninushi.

65. According to mythology, Japan was originally governed by Okuninushi.

66. But he handed over the reins to the offspring of Amaterasu.

67. In return, Izumo Taisha was founded to worship Okuninushi.

68. Today, Okuninushi is worshiped as a deity of matchmaking.

69. Many people wishing to find a good partner visit Izumo Taisha.

70. Inari Jinja enshrine the deities of good harvests.

71. Inari Jinja usually have an approach lined with numerous red torii.

72. Inari Jinja usually have a pair of fox statues.

※62：伊勢神宮は、宗教法人である神社本庁の本宗（ほんそう）と呼ばれます。

73. キツネは、稲荷神の使いと考えられています。

74. 稲荷神社は、日本全国に３万社ほどあると言われます。

75. 稲荷神社の総本社は、京都の伏見稲荷大社です。

76. 稲荷神社は、商売繁盛ももたらすと信じられています。

77. そのため、稲荷神社は、しばしば商店街に見られます。

78. また、稲荷神社は、銀行やデパートなどにも見られます。

79. 八坂神社は、疫病を防いでくれる神を祀っています。

80. 八坂神社の総本社は、京都の祇園地区に位置しています。

81. ７月に行われる祇園祭は、八坂神社の祭礼です。

82. 天満宮あるいは天神社は、学業の神を祀っています。

83. 天満宮は、歴史上の人物を神として祀っています。

84. その人物の名前は、菅原道真です。

85. 菅原道真は、９世紀末頃の学者でした。

86. 彼は、権力闘争の結果、九州の太宰府に追放されました。

87. 彼は失意のうちに、大宰府で孤独死しました。

88. 彼の死後、京都で雷による自然災害が起こりました。

73. The foxes are regarded as the messengers of the Inari deities.

74. There are said to be around 30,000 Inari Jinja across Japan.

75. The headquarters of all Inari Jinja is Fushimi Inari Taisha in Kyoto.

76. Inari Jinja are also believed to promote good business.

77. So, they are often found on the shopping street.

78. They can also be seen in banks or department stores.

79. Yasaka Jinja enshrine deities that help prevent infectious diseases.

80. The headquarters of all Yasaka Jinja is located in the Gion area of Kyoto.

81. The Gion Festival in July is dedicated to Yasaka Jinja. [※81]

82. Tenmangu or Tenjinsha enshrine the deity of study.

83. Tenmangu enshrine a historical person as a deity.

84. His name is Sugawara no Michizane.

85. Sugawara no Michizane was a scholar around the late 9th century.

86. He was banished to Dazaifu in Kyushu as a result of a power struggle.

87. He died alone in despair in Dazaifu.

88. After his death, lightning caused a natural disaster in Kyoto.

※81：直訳では、「八坂神社に捧げられる」の意味です。

89. 道真の政敵たちは、道真の霊を恐れました。

90. 彼らは、道真の御霊を慰め、崇拝するために、京都に北野天満宮を建てました。

91. 今日、道真は、全国の天満宮で、学問の神として崇拝されています。

92. 天満宮は、受験に合格したいと願う生徒たちがよく訪れます。

93. 八幡宮は、戦いの神を祀っています。

94. 八幡宮の起源は、大分県の宇佐八幡宮です。

95. 宇佐八幡宮は、京都の石清水八幡宮へと分社されました。

96. さらに、石清水八幡宮は、鎌倉の鶴岡八幡宮へと分社されました。

97. 源頼朝は、12世紀末に鎌倉に鎌倉幕府を開きました。

98. 頼朝は、一族の守護の神社として、鶴岡八幡宮を崇拝しました。

99. そのようにして八幡宮は、武士の崇敬を集めるようになりました。

100. その他の著名な神社の種類に、氷川神社、諏訪神社、大鳥神社などがあります。

89. Michizane's political enemies were frightened by his spirit.

90. They built Kitano Tenmangu in Kyoto to console and worship Michizane's spirit.

91. Today, Michizane is worshiped as the deity of study at Tenmangu across the country. ※91

92. Tenmangu are often visited by students wishing for success in exams.

93. Hachimangu enshrine the deity of war.

94. The origin of Hachimangu is Usa Hachimangu in Oita Prefecture.

95. Usa Hachimangu branched off to Iwashimizu Hachimangu in Kyoto.

96. Iwashimizu Hachimangu further branched off to Tsurugaoka Hachimangu in Kamakura.

97. Minamoto no Yoritomo established the Kamakura Shogunate in the late 12th century in Kamakura. ※97

98. Yoritomo worshiped Tsurugaoka Hachimangu as the family's guardian shrine.

99. Thus, Hachimangu came to be worshipped by samurai.

100. Some other famous kinds of shrines include Hikawa Jinja, Suwa Jinja and Otori Jinja.

※91：神格化された菅原道真の呼称は天満大自在天神であるため、天満宮は天神（社）とも呼ばれます。
※97：英語のshogunateは、「将軍（=shogun）が統治する政府」の意味で、「幕府」の訳語としてよく用いられます。

Chapter 05 神道2

◆神社の参拝方法 Ch05-01

1. 神社の入口の近くに、通常、水鉢があります。
2. 参拝者は、その水鉢のところで手と口をすすぎます。
3. 清めは、神道の最も重要な部分です。
4. 柄杓を使って、水鉢から水をすくいます。
5. 水を左手にかけて、左手をすすぎます。
6. その後、右手も同じようにします。
7. 左の手のひらの真ん中を窪ませて、そこに水を注ぎます。
8. その水に口を軽くつけて、口をすすぎます。
9. 柄杓を縦にして持ち、残った水を垂らして柄をすすぎます。
10. 柄杓を元の位置に戻します。
11. 本殿には、神道の神が祀られています。
12. 本殿の前にある賽銭箱に、小銭を投げ入れます。
13. 綱を引いたり揺らしたりして、上にある鈴を鳴らします。
14. これは、神の注意を引くために行います。
15. 深く2回お辞儀をして、神様に敬意を表します。
16. 手を2回打ち、お祈りや願い事をします。
17. その後、もう一度、深くお辞儀をします。

1. Near the entrance of a shrine, there is usually a water basin.
2. Visitors rinse their hands and mouths at the basin.
3. Purification is the most important part of Shinto.
4. Using the ladle, scoop some water from the basin.
5. Pour the water over your left hand to rinse it.
6. Then, do the same for your right hand.
7. Make a cup with your left palm, and pour some water in it.
8. Lightly touch the water to your mouth to rinse your mouth.
9. Hold the ladle vertically and let the remaining water trickle down to rinse the handle.
10. Put the ladle back in its place.
11. The main hall enshrines Shinto deities.
12. Throw coins into the offertory box in front of the hall.
13. Pull or swing the rope to ring the bell above.
14. This is done to draw the attention of the deities.※14
15. Bow deeply twice to show respect to the deities.
16. Clap your hands twice, then pray or make your wish.
17. After that, bow deeply one more time.

※14：参拝者を祓い清める意味もあります。

◆神社の役割 Ch05-02

18. 神道の儀式は、主に縁起の良い行事に用いられます。

19. 行事には、誕生、結婚、子供の健やかな成長のお祝いなどがあります。

20. お宮参りは、新たに生まれた赤ちゃんのお祝いです。

21. 赤ちゃんが地元の神社に連れて行かれ、神の祝福を受けます。

22. この儀式をもって、その赤ちゃんは、その地域の氏子として正式に認められます。

23. 結婚式は、しばしば神社で行われます。

24. 神式の結婚式では、新郎新婦が酒を飲み交わすのが特徴です。

25. この儀式は、三三九度と呼ばれます。文字通り、3×3＝9という意味です。

26. 新郎新婦は、3つの大きさが異なる盃から3度ずつ酒をすすります。

27. 神式の結婚式は、ホテルでも開かれます。

28. そのようなホテルには、神道の儀式用のホールがあります。

29. 七五三は、子供の健やかな成長を祝う神道の祭りです。

30. 3歳と5歳の男児、3歳と7歳の女児が、地元の神社に連れていかれます。

31. 子供たちは、しばしば伝統的な着物を着せられます。

32. 神職が、子供たちの将来の幸せを神に祈ります。

18. Shinto rites are mainly used for auspicious events.

19. They include celebrations for birth, marriage and children's healthy growth.

20. Omiya-mairi is a celebration for new-born babies.

21. The baby is taken to a local jinja to receive the deities' blessings.

22. With this ritual, the baby is formally recognized as an Ujiko of the community.

23. Wedding ceremonies are often held at jinja.

24. Shinto-style weddings feature an exchange of cups of sake by the bride and groom.

25. This ritual is called san-san-kudo. It literally means three times three equals nine.

26. The couple sips sake three times from three different-sized cups.

27. Shinto-style weddings can also be held at hotels.

28. Such hotels have their own Shinto ritual halls.

29. Shichi-go-san is a Shinto festival to celebrate children's healthy growth.

30. Boys aged three and five, and girls aged three and seven are taken to their local jinja.

31. They are often dressed in traditional kimono.

32. A Shinto priest prays to the deities for their future happiness.

33. 七五三では、子供たちは、細長い飴をもらいます。

34. この飴は、千歳飴と呼ばれます。千歳の飴という意味です。

35. 千歳飴は、長寿の象徴です。

36. 飴は、七五三の儀式が終わると、しばしば、近所の人に分け与えられます。

37. 地鎮祭は、建設工事が始まる前に行われる神道の儀式です。

38. 地鎮祭は、工事現場で執り行われます。

39. 一時的な神棚が、儀式のために設置されます。

40. 神職が、工事期間中の安全を、その土地の神に祈ります。

41. 様々な食べ物と酒が、お供え物として神棚に置かれます。

◆神社と祭り Ch05-03

42. 祭りには、地元の神社に捧げられるものが多くあります。

43. 祭りの期間中、神は神輿と呼ばれる移動式の神社に移されます。

44. 祭りの参加者たちは、神輿を肩に担いで運びます。

45. 神輿は、町中を巡行します。

46. 神輿の担ぎ手は、大きな声で「わっしょい、わっしょい」と叫びます。

47. この叫びは、巡行を盛り上げるために行われます。

33. At shichi-go-san, children receive long candy sticks.

34. This candy is called chitose-ame. It means thousand-year-old candy.

35. Chitose-ame are a symbol of longevity.

36. They are often given out to neighbors after the shichi-gosan ritual.

37. Ji-chin-sai is a Shinto ritual held before beginning construction work.

38. It is held at the construction site.

39. A makeshift Shinto altar is set up for the ritual.

40. A Shinto priest prays to the deities of the site for safety during construction.

41. Various foods and sake are placed on the altar as offerings.

42. Festivals, or matsuri, are often dedicated to the local jinja.

43. During festivals, the deities are moved to portable shrines called mikoshi.

44. Festival participants carry these mikoshi on their shoulders.

45. The mikoshi parade around the town.

46. The mikoshi carriers loudly chant "wasshoi, wasshoi!"

47. This chant is done to animate the parade.

48. 祭りには、山車(だし)と呼ばれる曳き車を使うものもあります。

49. 山車は、山から神を引き寄せるために使われます。

50. 山車は、通常、贅沢に飾られています。

51. 人々が、しばしば、山車の上で音楽や踊りを披露します。

52. 人々は、山車を綱で町中を曳き回します。

53. 一部の祭りでは、山車を高速で急転回させたりします。

54. 山車の中には、高さが10メートルを超えるような巨大なものもあります。

55. 山車を使う33の日本の祭りが今、無形文化遺産に登録されています。

56. 祭り用の食べ物と酒が、神に捧げられます。

57. 祭りの後、それらは、参加者の間で分け合われます。

58. 祭りは、地域の住民にとって重要な行事です。

59. 祭りは、地域の住民と神との絆を強めてくれます。

60. 酒は、神道の儀式に用いられる重要な神饌(しんせん)のひとつです。

61. そのため、酒樽が神社に奉納されているのをよく見かけます。

48. Some festivals feature floats called dashi.※48

49. Dashi are used to attract the deities from mountains.

50. Dashi are usually lavishly decorated.

51. People often perform music and dance on the dashi.

52. People use ropes to pull the dashi around the town.

53. In some festivals, these dashi make high-speed, wild turns.

54. Some dashi are quite huge, reaching heights of over 10 meters.

55. Japan's 33 festivals using dashi are now registered as an Intangible Cultural Heritage.※55

56. Festival food and sake are offered to the deities.※56

57. After the festival, they are shared among the participants.※57

58. Matsuri are important events for members of the community.

59. Matsuri help strengthen the bonds between the people and deities.

60. Sake is an important offering used for Shinto rituals.

61. So, you can often see barrels of sake being offered to Shinto shrines.

※48：山車は、屋台、曳山、山鉾、だんじりなど、地域によって呼び方が異なります。
※55：正式名称は、「山･鉾･屋台行事」(Yama, Hoko, Yatai, float festivals in Japan)で登録されています。
※56：神に捧げる食べ物や酒は、神饌（しんせん）と呼ばれます。
※57：この儀式は、直会（なおらい）と呼ばれます。

◆文化財と式年遷宮 Ch05-04

62. 多くの神社が、長い歴史を持っています。

63. 多くの神社が、貴重な文化財を所有しています。

64. 神社の建造物には、国宝に指定されているものもあります。

65. 神社には、世界文化遺産に登録されているものもあります。

66. 最も有名な例は、広島県の厳島神社です。

67. 厳島神社は、海に立つ赤い鳥居で有名です。

68. 満潮時には、鳥居が海上に浮かんでいるように見えます。

69. 式年遷宮は、本殿を含む神社の建造物を定期的に建て替える慣習のことです。

70. これは、神の力を新鮮な状態に保つために行われます。

71. 最も有名な式年遷宮は、三重県の伊勢神宮のものです。

72. 伊勢神宮では、式年遷宮が20年毎に行われます。

62. Many jinja have long histories.

63. Many jinja have valuable cultural properties.

64. Some structures are designated as national treasures.

65. Some jinja are registered as World Cultural Heritage sites.

66. The most famous example is Itsukushima Shrine in Hiroshima Prefecture.

67. Itsukushima Shrine is famous for its red torii standing in the sea.

68. At high tide, the torii looks like it's floating on the sea.

69. Shiki-nen-sengu is the practice of periodically reconstructing a jinja's structures including its main hall.

70. This is done to keep the power of the deities fresh.

71. The most famous shiki-nen-sengu is that of Ise Shrine in Mie Prefecture.

72. It is practiced every 20 years at Ise Shrine.

◆絵馬・おみくじ・お守り・破魔矢・神棚・新年の儀式 Ch05-05

73. 神社には、様々なものが奉納されます。

74. その例のひとつが、絵馬という馬の絵が描かれた木の板です。

75. 古代には、生きた馬が神社に奉納されていました。

76. 後に、それらは絵馬に取って代わりました。

77. 絵馬に自分の願いを書いて、神社に奉納します。

78. 幸運をもたらす様々な品が、神社で売られています。

79. おみくじは、運勢が書かれた紙片です。

80. 幸運は、「吉」という漢字で示されます。

81. 不運は、「凶」という漢字で示されます。

82. もし凶を引いたら、指定された場所におみくじを結び付けます。

83. そうすることで、不運を神社に残して行くことができます。

84. お守りと呼ばれる幸運の魔除けも、神社で入手できます。

85. 願いに応じて、様々なお守りがあります。

86. 破魔矢は、神聖な矢です。

87. 破魔矢は、邪気を追い払います。

88. 家族用の神棚がある家もあります。

89. 神棚の前で、一家の幸せと幸運を祈ります。

73. Various offerings are made to jinja.

74. One example is ema, a wooden tablet bearing a picture of a horse.

75. In ancient times, living horses were dedicated to jinja.

76. Later, they were replaced by ema tablets.

77. People write their wishes on an ema and offer it to the jinja.

78. Various items bringing good luck are available at jinja.

79. Omikuji are strips of paper telling one's fortune.

80. Good fortune is indicated by the kanji character "kichi."

81. Bad fortune is indicated by the kanji character "kyo."

82. When you draw a kyo omikuji, tie the strip to the designated place.

83. By doing so, you can leave your bad fortune behind.

84. Lucky charms called omamori are also available at jinja.

85. Various types of omamori are available according to your wish.

86. Hamaya are sacred arrows.

87. They drive away evil.

88. Some homes have a family Shinto altar.

89. People pray for the family's happiness and good fortune in front of the altar.

90. 神棚には、米、塩、酒などを供えます。

91. 正月のお祝いも、神道と関係があります。

92. 正月の間は、家の入口にしめ飾りを下げます。

93. しめ飾りは、藁とミカンで作られた飾り物です。

94. しめ飾りは、神様が今、家を訪れていることを意味します。

95. 鏡餅が、神に捧げられます。

96. 鏡餅は、平たい丸い餅を２個重ねてミカンを一つ上に載せたものです。

97. 鏡餅は、三方と呼ばれる特別な盆に載せられます。

98. 正月には、多くの人が地元の神社を訪れます。

99. この習慣は、初詣と呼ばれています。

100. 人々は、新しい一年間の幸せと幸運を祈ります。

90. They offer rice, salt and sake to the altar.

91. New Year celebrations are also related to Shinto.

92. During the New Year, people hang shimekazari at the entrances of their houses.

93. Shimekazari are decorations made with rice straw and an orange.

94. They signify that a deity is now visiting the house.

95. Kagamimochi rice cakes are offered to the deities.

96. Kagamimochi are two flat, round rice cakes stacked on each other and topped with an orange.

97. Kagamimochi are placed on a special tray called sanpo. ※97

98. During the New Year, many people visit their local jinja.

99. This practice is called hatsu-mode, New Year's first visit to a shrine. ※99

100. People pray for happiness and good fortune during the new year. ※100

※97：「三宝」とも書きます。
※99：初詣は寺院への参拝も意味します。
※100：ここでのthe new yearは「新しい一年」の意味です。一方、「正月」の意味では、New Yearあるいは、the New Yearとするのが普通です。

Chapter 06 仏教 1

◆寺院と仏教 Ch06-01

1. 日本では、神道とともに仏教が信仰されています。
2. 寺あるいは寺院は、仏教の宗教施設です。
3. 仏教は、紀元前500年ごろ、インドの釈迦によって開かれました。
4. 仏教の目的は、信徒が悟りを得ることです。
5. 仏教では、釈迦を仏として崇拝します。
6. 仏とは、悟りを得た仏教の聖者のことです。
7. 釈迦の死後、仏教は数多くの学派に分かれました。
8. 一部の学派は、釈迦のみを仏と呼びます。
9. これらの学派は、タイやミャンマーなどを含む東南アジアの国々へ広まりました。
10. 他の学派は、誰でも仏になれると教えます。
11. これらの学派は、大乗仏教と呼ばれます。
12. 大乗仏教は、中央アジアや東アジアに広まりました。

1. Buddhism is followed along with Shinto in Japan.

2. Tera or Ji-in are religious facilities for Buddhism.

3. Buddhism was founded by Shaka in India around 500 BCE. ※3

4. The goal of Buddhism is for followers to achieve enlightenment.

5. In Buddhism, Shaka is worshipped as Buddha. ※5

6. The word Buddha refers to an enlightened Buddhist saint.

7. After Shaka's death, Buddhism split into many different schools.

8. Some schools designate Shaka as the only Buddha.

9. These schools spread to countries in Southeast Asia, including Thailand and Myanmar. ※9

10. Other schools teach anyone can become a Buddha.

11. These schools are called Daijo Bukkyo, or Mahayana Buddhism. ※11

12. Daijo Bukkyo spread to Central and East Asia. ※12

※3：本書では「紀元前」をBCE（Before Common Era）、「紀元後」をCE（Common Era）で統一してあります。
※5：Buddhaは、日本語でブッダ、仏陀（ぶっだ）、仏（ほとけ、ぶつ）などと呼ばれますが、本書では、仏で統一してあります。
※9：これらの学派は、上座部仏教や南伝仏教と呼ばれます。
※11：mahayanaは古代インドの梵語で「大きい乗り物」の意味です。
※12：大乗仏教は、北伝仏教とも呼ばれます。

13. 大乗仏教は、やがて中国と朝鮮を経て、日本に到達しました。

14. 仏教が日本に正式伝来したのは、6世紀でした。

◆経典と宗派・本尊 Ch06-02

15. 仏教には、様々な経典があります。

16. 初期の経典は、主に釈迦の教えを記録しています。

17. 他の経典は、釈迦以外の仏の教えも伝えています。

18. 仏教の宗派は、基本的に根本経典によって異なります。

19. 根本経典で描かれている仏が、その宗の本尊として崇拝されます。

◆華厳宗・法相宗・律宗 Ch06-03

20. 華厳宗の根本経典は、華厳宗です。

21. 華厳宗は、盧舎那仏（るしゃなぶつ）の教えを伝えています。

22. ですから、華厳宗の本尊は、盧舎那仏です。

23. 華厳宗の大本山は、奈良県の東大寺です。

24. 東大寺には、盧舎那仏の大仏があります。

13. Daijo Bukkyo finally reached Japan through China and Korea.

14. Buddhism was officially introduced into Japan in the 6th century.

15. In Buddhism, there are various Buddhist scriptures.

16. Early scriptures mainly record Shaka's teachings.

17. Other scriptures introduce the teachings of other Buddhas, as well.

18. Buddhist sects basically differ depending on their main scriptures.

19. The Buddha described in a sect's main scripture is worshipped as that sect's main image.

20. The Kegon Sect's main scripture is the Kegon Scripture.

21. The Kegon Scripture describes the teachings of Rushana Buddha.※21

22. So, the main image of the Kegon Sect is Rushana Buddha.

23. The headquarters of the Kegon Sect is Todaiji Temple in Nara Prefecture.

24. Todaiji Temple has a giant statue of Rushana Buddha.

※21：毘盧遮那仏（びるしゃなぶつ）とも呼ばれます。

25. 華厳宗は、8世紀の日本で成立した六宗のひとつです。

26. そのうち、華厳宗を含む三宗が現存しています。

27. 現存する他の二宗は、法相宗(ほっそうしゅう)と律宗(りっしゅう)です。

28. 法相宗は、仏教の悟りを研究します。

29. 法相宗の大本山は、奈良県にある興福寺と薬師寺です。

30. 律宗は、仏教の戒律を教えます。

31. 律宗は、中国の鑑真という名の中国の高僧によって、日本に伝えられました。

32. 鑑真は、仏教の戒律を教えるために日本の朝廷から招かれました。

33. 日本の律宗の総本山は、奈良県にある唐招提寺です。

◆日蓮宗 Ch06-04

34. 日蓮宗の根本経典は、法華経です。

35. 法華経は、釈迦の教えを伝えています。

36. 法華経では、釈迦は永遠なる神的存在として描かれています。

37. 日蓮宗の本尊は、開祖の日蓮が描いた曼荼羅です。

38. 日蓮宗には、数多くの分派があります。

25. The Kegon Sect is one of the six sects founded in 8th-century Japan.

26. Three of them, including the Kegon Sect, still exist.

27. The other two in existence are the Hosso Sect and the Ritsu Sect.

28. The Hosso Sect studies Buddhist enlightenment.

29. The headquarters of the Hosso Sect are Kofuku-ji Temple and Yakushi-ji Temple in Nara Prefecture.

30. The Ritsu Sect teaches Buddhist commandments.

31. The Ritsu Sect was introduced to Japan by a Chinese high priest named Ganjin.

32. Ganjin was invited by the Japanese government to teach Buddhist commandments.

33. The headquarters of the Ritsu Sect in Japan is Toshodai-ji Temple in Nara Prefecture.

34. The Nichiren Sect's main scripture is the Hoke Scripture.※34

35. The Hoke Scripture describes the teachings of Shaka.

36. In the Hoke Scripture, Shaka is described as an eternal spirit.

37. The Nichiren Sect's main image is a mandala drawn by Nichiren, the founder of the Nichiren Sect.

38. There are many different schools in the Nichiren Sect.

※34：正式名称は「妙法蓮華経」です。

39. 日蓮宗の本尊の解釈は、派によって異なります。

40. その曼荼羅が、日蓮を象徴していると考える派があります。

41. その曼荼羅が、釈迦を象徴していると考える派もあります。

42. 日蓮宗の信徒は、「南無妙法蓮華経」と根本経典の題目を唱えます。

◆浄土教 Ch06-05

43. 阿弥陀仏の教えを伝える経典もあります。

44. 阿弥陀仏は、西方(さいほう)極楽浄土を主宰しています。

45. 極楽浄土は、信徒のための来世です。

46. 信徒は死後、極楽浄土で仏となることができます。

47. 浄土宗、浄土真宗、時宗は、阿弥陀信仰に基づいています。

48. 阿弥陀信仰を持つ人は、「南無阿弥陀仏」と阿弥陀仏の名前を唱えます。

49. その称名は、「念仏」と呼ばれます。

50. 鎌倉の高徳院は、浄土宗の寺院です。

51. 高徳院の大仏は、阿弥陀仏です。

39. Interpretations of the sect's main image differ according to the school.

40. Some schools think the mandala symbolizes Nichiren.

41. Other schools think the mandala symbolizes Shaka.

42. Followers of the Nichiren Sect chant the title of the main scripture, "Nan-myo-ho-renge-kyo." ※42

43. Some scriptures describe the teachings of Amida Buddha.

44. Amida Buddha watches over Saiho-Gokuraku-Jodo, the Western Pure Land.

45. Gokuraku-Jodo is an after-life world for Buddhist followers.

46. Followers can become Buddhas in Gokuraku-Jodo after death.

47. The Jodo Sect, the Jodo-Shin Sect and the Ji-shu Sect are based on Amida Buddhism. ※47

48. Followers of Amida Buddhism chant the name of Amida Buddha, "Namu-Amida-Butsu." ※48

49. The chant is called "nenbutsu."

50. Kotokuin Temple in Kamakura belongs to the Jodo Sect.

51. The large statue of Buddha there is Amida Buddha.

※42：「南無」は帰依を表す言葉です。
※47：時宗の表記は、The Jodo Sect の書き方に合わせると The Ji Sect になりますが、固有名詞として日本語の音との乖離が大きい場合には、意味が重複する語（この場合だとshu）を補っています。類例に、「東大寺」Todaiji Temple（Todai Templeではなく）があります。
※48：宗派によっては「なもあみだぶ（つ）」とも発音します。

52. 浄土宗は、念仏を唱える大切さに重きを置きます。

53. 浄土真宗は、念仏を唱えることと並んで、阿弥陀仏への信仰心を重視します。

54. 時宗は、念仏を唱えながら行う踊りによって特徴づけられています。

◆密教 Ch06-06

55. 天台宗と真言宗は、密教に基づいています。

56. 密教では、あらゆる種類の仏教の神が崇拝されます。

57. それらには、仏、菩薩、それにヒンズー教から入ってきた神々が含まれます。

58. これらの二宗に所属する寺院では、様々な仏教の神が祀られます。

59. 密教の影響で、仏教の神と神道の神が融合し始めました。

60. 日本の天台宗は、最澄という名の日本人の僧によって開かれました。

61. 天台宗は、あらゆる仏教の教えを研究します。

62. 天台宗は後に、密教を取り入れました。

63. 真言宗は、空海という名の日本人の僧によって開かれました。

52. The Jodo Sect emphasizes the importance of chanting nenbutsu.

53. The Jodo-Shin Sect places strong emphasis on the belief in Amida Buddha along with chanting nenbutsu.

54. The Ji-shu Sect is characterized by the movements its followers perform while chanting nenbutsu.

55. The Tendai Sect and the Shingon Sect are based on mikkyo, or esoteric Buddhism. ※55

56. In mikkyo, all kinds of Buddhist deities are worshipped.

57. They include Buddhas, bodhisattvas and deities that were imported from Hinduism. ※57

58. Temples belonging to these two sects enshrine various types of Buddhist deities.

59. Under the influence of mikkyo, Buddhist deities started to merge with Shinto deities.

60. The Tendai Sect in Japan was founded by a Japanese monk named Saicho. ※60

61. The Tendai Sect studies all Buddhist teachings.

62. The Tendai Sect later adopted mikkyo.

63. The Shingon Sect was founded by a Japanese monk named Kukai. ※63

※55：esotericは「秘伝的な」の意味です。難しい語ですが、密教の訳語として定着しています。
※57：大乗仏教では、仏について「如来」という尊称を使います。
※60：最澄は諡号（しごう）で伝教大師と称されます。
※63：空海は諡号で弘法大師と称されます。

64. 真言宗は、密教に基づいています。

65. 四国には、空海にゆかりのある88の寺院があります。

66. これらのすべての寺院を巡ることを「お遍路」と呼びます。

◆禅宗 Ch06-07

67. 禅宗は、達磨大師という名のインドの聖人によって、中国で開かれました。

68. 禅宗が日本に伝わったのは、中世です。

69. 禅宗は、特定の根本経典を持ちません。

70. 禅宗は、座って瞑想することによって特徴づけられています。これは坐禅と呼ばれます。

71. 臨済宗、曹洞宗、黄檗(おうばく)宗が禅宗に属します。

72. 日本の臨済宗は、栄西(えいさい)という名の日本人の僧によって開かれました。

73. 臨済宗は、水墨画や詩歌の発達に寄与しました。

74. 日本の曹洞宗は、道元という名の日本人の僧によって開かれました。

75. 曹洞宗は、厳しい修業によって特徴づけられています。

76. 黄檗宗は、隠元(いんげん)という名の中国人の僧によって開かれました。

64. The Shingon Sect is based on mikkyo.

65. In Shikoku, there are 88 temples related to Kukai. ※65

66. The act of travelling around to visit all these temples is called "o-henro", or pilgrimage. ※66

67. Zen Buddhism was founded in China by an Indian sage named Bodhidharma.

68. Zen Buddhism was introduced to Japan in the Middle Ages.

69. Zen Buddhism has no particular main scripture.

70. Zen Buddhism is characterized by sitting meditation. This is called zazen.

71. The Rinzai Sect, the Soto Sect and the Obaku Sect belong to Zen Buddhism.

72. The Rinzai Sect in Japan was founded by a Japanese monk named Eisai.

73. The Rinzai Sect contributed to the development of Indian ink painting and poetry.

74. The Soto Sect in Japan was founded by a Japanese monk named Dogen.

75. The Soto Sect is characterized by strict training.

76. The Obaku Sect was founded by a Chinese monk named Ingen.

※65：これらの寺院は「四国八十八箇所」と呼ばれます。
※66：正式には、「四国巡礼」や「四国遍路」と呼ばれます。

77. 黄檗宗は、禅以外の仏教の教えも反映しています。

78. 仏教は基本的に、生き物の殺生を禁じています。

79. そのため、仏教では精進料理というベジタリアンの食事が食されます。

80. 特に禅宗は、精進料理の発達に寄与しました。

81. 禅宗では、調理と食事は修行の大切な部分です。

82. 典座（てんぞ）と呼ばれる禅宗の調理師は、余すところなく食材を用いて料理を作ります。

83. その調理技術は、日本料理の調理法全般を大きく発展させました。

84. 禅寺では、坐禅を経験できるところがあります。

85. そのような禅寺には、宿坊と呼ばれる信徒のための宿があることもあります。

86. 宿坊に泊まると、精進料理や仏教の修行を体験できます。

◆神仏習合 Ch06-08

87. 仏教の神々は長い間、神道の神々と同一視されていました。

88. そのような考えは、神仏習合と呼ばれます。仏教と神道の融合を意味します。

77. The Obaku Sect reflects other Buddhist teachings as well.

78. Buddhism basically prohibits the taking of any life.

79. So, in Buddhism, vegetarian meals called shojin-ryori are eaten.

80. Zen Buddhism in particular contributed to the development of shojin-ryori.

81. In Zen Buddhism, food preparation and eating is an important part of training.

82. Zen Buddhist cooks called tenzo prepare the food without leaving any waste.

83. Their food preparation techniques greatly improved Japanese cooking methods in general.

84. At some Zen temples, you can experience Zen meditation.

85. They may have inns for followers called shukubo. ※85

86. If you stay at a shukubo, you can try eating shojin-ryori and practice some Buddhist training.

87. Buddhist deities had long been regarded as the same as Shinto deities.

88. This way of thinking is called Shinbutsu-shugo. It means the fusion of Buddhism and Shinto.

※85：宿坊は禅宗以外の寺院にもあります。

89. 神仏習合では、神道の各神が、特定の仏教の神に結び付けられていました。

90. 明治時代に、神道と仏教は正式に分離されました。

91. それでも、神仏習合的な思想の特徴は、いまでも残っています。

92. 寺院の境内に神社があるのを見かけるかもしれません。

93. 神社に仏像があるのを見かけるかもしれません。

◆ 寺院の参拝方法 Ch06-09

94. 寺院には、普通、手と口をすすぐための水鉢があります。

95. 手と口のすすぎ方は、神社でのやり方と同じです。

96. その後、本堂へと向かいます。

97. 堂の前にある賽銭箱に、小銭を投げ入れます。

98. 綱を引いたり揺らしたりして、鐘を鳴らします。

99. 両手を合わせてお祈りをします。

100. 神社と違い、寺院では手は打ちません。

89. In Shinbutsu-shugo, each Shinto deity was connected to a specific Buddhist deity.

90. In the Meiji Period, they were officially separated.

91. Still, some traits of the Shinbutsu-shugo way of thinking remain.

92. You might find a Shinto shrine on the grounds of a Buddhist temple.

93. You might find some Buddhist statues at a Shinto shrine.

94. At temples, there's usually a water basin for purifying your hands and mouth.

95. The way you rinse them is the same as that at a Shinto shrine.

96. Then, you go to the main hall.

97. Throw some coins into the offertory box in front of the hall.

98. Pull or swing the rope to ring the gong. ※98

99. Put your hands together and pray.

100. Unlike at a Shinto shrine, you don't clap your hands at temples.

※98：この鐘は「鰐口」（わにぐち）と呼ばれます。

Chapter 07 仏教2

◆寺院の構造物 Ch07-01

1. お寺は、基本的に所属する宗派によって異なります。
2. しかし、共通する特徴も多々あります。
3. 多くの寺院は、正面入り口に門があります。
4. 門の扉の両側に、一対の像が置かれているのを見ることがあります。
5. それらの像は、金剛力士と呼ばれる守護神です。
6. 多くの寺院には、三重塔や五重塔があります。
7. 塔は、仏舎利などの宝物（ほうもつ）を納めるためのものです。
8. ほとんどの寺院には、本堂と呼ばれる中心的な堂があります。
9. 本堂には、その宗派の本尊の像が祀られています。
10. 講堂と呼ばれる、説法のための堂がある寺院もあります。
11. 本堂の前に、常香炉（じょうこうろ）と呼ばれる大きな香炉がある寺院もあります。
12. お香の煙を体に浴びるのは、清めの一種です。
13. 健康のご利益を期待して、そうする人もいます。
14. 多くの寺院には、信徒のための共同墓地があります。

1. Temples are basically different according to their sect.

2. But there are many common characteristics.

3. Many have a gate at the main entrance.

4. You might see a pair of statues enshrined on both sides of the gate doors.※4

5. These are called Kongo Rikishi, or guardian deities.

6. Many temples have three- or five-story pagodas.

7. Pagodas are for housing Shaka's ash or other sacred items.

8. Most temples have a main hall called hondo.※8

9. The statues of the sect's main images are enshrined in the hondo.

10. Some temples have lecture halls called kodo.

11. Some temples have huge incense burners called jo-koro in front of the hondo.

12. Waving the incense smoke over one's body is a form of purification.

13. Some people do this in the hope of gaining some health benefits.

14. Many temples have graveyards for their followers.

※4：この門は、「三門」と呼ばれます。
※8：宗派や寺院によっては「金堂」や「仏殿」とも呼ばれます。

15. 禅宗寺院には、しばしば、庭園があります。

16. 禅宗様式の庭園には２種類あります。回遊式庭園と枯山水です。

17. 回遊式庭園は、訪問者が散策しながら、変わりゆく景色を楽しむものです。

18. 回遊式庭園には、築山、林、池、遣水、橋、石灯籠などが配置されています。

19. 禅の修行僧は、しばしば、枯山水の庭園に向き合って坐禅を組みます。

20. 枯山水は、主に石と砂からできています。

21. 石は、山や滝を象徴しています。

22. 砂は、海を象徴しています。

23. 砂には、波の文様があります。文様は、熊手で付けられます。

24. 禅宗寺院には、塔頭(たっちゅう)と呼ばれる小院があるものがあります。

25. 塔頭は、その寺院の故高僧に捧げられたものです。

◆仏像 Ch07-02

26. 仏教の像は、仏像と呼ばれます。

27. 仏像には、青銅で造られたものがあります。

28. 仏像には、木で造られたものもあります。

15. Zen temples often have gardens.

16. There are two types of Zen temple gardens. They are stroll gardens and dry landscape gardens called karesansui.

17. Stroll gardens are for the visitors to stroll around and enjoy viewing the changing scenery.

18. Hills, forests, ponds, streams, bridges and stone lanterns are laid out in stroll gardens.

19. Zen monks often meditate while facing karesansui gardens.

20. Dry landscape gardens consist mainly of rocks and sand.

21. The rocks symbolize mountains and waterfalls.

22. The sand symbolizes the sea.

23. The sand has wave patterns. It is made using a rake.※23

24. Some Zen temples have smaller temples called tacchu.

25. Tacchu are dedicated to the late high priests of that temple.

26. Buddhist statues are called butsuzo.

27. Some butsuzo are made of bronze.

28. Other butsuzo are made of wood.

※23：回遊式庭園と枯山水に関しては、Chapter 15で同じ内容の説明が出てきますが、表現方法を変えてあります。

29. 仏像には、粘土や漆を施した麻布で造られたものもあります。

30. 仏像のモデルはさまざまで、如来、菩薩、明王、天部などがあります。

31. 如来は、仏を指します。

32. 釈迦如来、阿弥陀如来、薬師如来など、さまざまな如来がいます。

33. 菩薩は、仏になる途中の僧を指します。

34. 菩薩は、衆生に身近な存在で居続けるために、悟りを開かないことにしています。

35. 観音菩薩や地蔵菩薩など、さまざまな菩薩がいます。

36. 観音菩薩は、慈悲の神とされています。

37. 観音菩薩には、いくつか異なる種類があります。

38. 標準的な観音は、聖(しょう)観音と呼ばれます。

39. 十一の顔を持つ観音もあります。

40. 十一の顔は、観音菩薩の様々な功徳を象徴しています。

41. 多くの手にさまざまな道具を持った観音もあります。

42. それらの道具は、信者の煩悩を追い払うのを手伝うためのものです。

29. There are also butsuzo made of clay or lacquered linen cloth.※29

30. There are various models for butsuzo, including Nyorai, Bosatsu, Myo-o, Tenbu and other deities.

31. Nyorai refer to Buddhas.※31

32. There are many different Nyorai, including Shaka Nyorai, Amida Nyorai and Yakushi Nyorai.

33. Bosatsu refer to monks on their way to becoming a Buddha.

34. They choose not to be enlightened to remain closer to other followers.

35. There are many different Bosatsu, including Kannon Bosatsu and Jizo Bosatsu.

36. Kannon Bosatsu are regarded as the deities of mercy.

37. There are several different types of Kannon Bosatsu.

38. The standard Kannon is called Sho-Kannon.

39. There are also Kannon with eleven faces.※39

40. The eleven faces symbolize the various virtues of Kannon.

41. Some Kannon have many arms with various tools in each of the hands.

42. Those tools are to help drive away followers' worldly desires.

※29：それぞれ、塑像（そぞう）、乾漆像と呼ばれます。
※31：この場合の日本語の「仏」は、狭義で、「悟りを開いた者」（ブッダ）を意味します。「仏」は広義において、仏教の神々すべてを意味する場合があります。
※39：十一面観音像と呼ばれます。

43. 千手観音は、千の手を持っています。

44. 実際には、ほとんどの千手観音は前で合わせた２本の手と、それとは別に40本の手を持っています。

45. 追加の手それぞれが、25の手を象徴しています。合計が1000になります。

46. 地蔵菩薩は、人々を地獄から救ってくれると考えられています。

47. 地蔵菩薩は、亡くなった子供を救うとも考えられています。

48. 明王と天部は、ヒンズー教から取り入れられた神です。

49. 彼らは、仏教の守護神とされています。

50. 明王は、怒った顔で特徴づけられています。

51. 人々を恐れさせて、仏教に帰依させるために、怒りを見せています。

52. 天部には、女神や武装した神などがあります。

53. 天部は、邪気を追い払い、仏教を守護しています。

54. 如来像は、脇侍（きょうじ）と呼ばれる２体の菩薩像に伴われていることが多くあります。

55. それらは合わせて、仏像のトリオの意味で、三尊像（さんぞんぞう）と呼ばれます。

56. 三尊像の組み合わせは、基本的に決まっています。

57. 釈迦如来は、文殊菩薩と普賢菩薩に伴われています。

43. Senju Kannon have one thousand arms.

44. In reality, most Senju Kannon have two arms with their hands held together in front and 40 additional arms.

45. Each additional arm symbolizes 25 arms. The total number of arms comes to 1,000. ※45

46. Jizo Bosatsu are thought to save people from hell.

47. Jizo Bosatsu are also thought to save the souls of departed children.

48. Myo-o and Tenbu were introduced from Hinduism.

49. They are regarded as Buddhist guardian gods.

50. Myo-o are characterized by their angry face.

51. They show anger in order to scare people into following Buddhism.

52. Tenbu include goddesses and armed deities.

53. They guard Buddhism by driving away evil.

54. Nyorai statues are often accompanied by two bosatsu called kyo-ji.

55. They are collectively called san-zon-zo, literally a statue trio.

56. The trio combinations are basically fixed.

57. Shaka Nyorai is accompanied by Monju Bosatsu and Fugen Bosatsu.

※45：実際は、前で合わせた両手（本手）と合わせると、1,002本になります。

58. 阿弥陀如来は、観音菩薩と勢至菩薩に伴われています。

59. 薬師如来は、日光菩薩と月光菩薩に伴われています。

◆法要 Ch07-03

60. 日本の仏教は主に、故人の法要を行うために用いられます。

61. 法要の様式は、仏教の宗派によって異なります。

62. 日本人の家庭のほとんどが、いずれかの宗派に属しています。

63. 様々な法要が、その家族が属する宗派の流儀で行われます。

64. 葬儀の前の晩には、通夜が行われます。

65. 通夜では、会葬者が集い、故人のことを話します。

66. 葬儀では、仏僧が経典を読み上げ、故人のために祈ります。

67. 会葬者は、故人の安らかな来世を祈って香を焚きます。

68. 葬儀が終わると、故人は火葬されます。

69. 火葬の後、会葬者は残った故人の骨を拾います。

70. 遺骨は特別な壺に入れられ、墓に埋葬されます。

71. 会葬者は、香典というお見舞金を故人の家族に渡すのが習慣です。

58. Amida Nyorai is accompanied by Kannon Bosatsu and Seishi Bosatsu.

59. Yakushi Nyorai is accompanied by Nikko Bosatsu and Gakko Bosatsu.

60. Buddhism in Japan is mainly used for services for the deceased.

61. The forms of services differ depending on the Buddhist sect.

62. Most Japanese families belong to a certain Buddhist sect.

63. Various services are held based on the family's sect.

64. A wake is held the night before a funeral.

65. At the wake, mourners gather to talk about the deceased.

66. At a funeral, a Buddhist monk reads Buddhist scriptures to pray for the deceased.

67. Mourners burn incense to pray for a peaceful after-life for the deceased.

68. After the funeral, the deceased is cremated.

69. After the cremation, mourners pick up the remaining bones of the deceased.

70. The remains are stored in a special jar to be buried in a grave.

71. It is a custom for the mourners to offer the family of the deceased a money gift called koden.

72. 故人の供養は、故人の死後も定期的に行われます。

73. 初七日は、命日から七日目に行われる、最初の法要です。

74. 四十九日は、命日から四十九日目に行われる法要です。

75. 一周忌は、死後満一年目の命日です。

76. 三回忌は、死後満二年目の命日です。

77. 多くの家に、仏壇と呼ばれる家庭用の祭壇があります。

78. 仏壇には、故人の位牌が納められています。

79. 家族の人たちは、仏壇でお香を焚き、故人の供養を行います。

80. また、故人に食べ物や水をお供えします。

81. 願いが叶うようにと祈るために、寺院を訪れる人もいます。

82. 元旦を中心に、人々は寺院や神社を訪れて、幸運を祈ります。

83. 多くの寺院には、像や建造物などの有名な文化財があります。

84. それらの文化財を鑑賞するために寺院を訪れる人もいます。

85. 多くの寺院には、国宝に指定されている所蔵物があります。

86. 世界遺産に登録されている寺院もあります。

72. Services for the deceased are held periodically after their death.

73. Sho-nanoka is the first service for the deceased held on the seventh day after their death.※73

74. Shiju-kunichi is the service held on the 49th day after their death.

75. Isshu-ki is the first yearly anniversary of their death.

76. Sankai-ki is the second yearly anniversary of their death.

77. Many homes have a family altar called butsudan.

78. A spirit tablet of the deceased is housed in the butsudan.

79. Family members burn incense at the bustudan to console the deceased.

80. They also offer food and water to the deceased.

81. People also visit Buddhist temples to pray for their wishes to come true.

82. Around New Year's Day, people visit temples or shrines to pray for good fortune.

83. Many temples have famous cultural properties including statues and buildings.

84. Some people visit temples to appreciate these properties.

85. Many temples have properties designated as national treasures.

86. Some temples are registered as World Heritage sites.

※73：最近では、初七日は、告別式の日に同時に行われることが多くあります。

◆お守り・おみくじ・護摩・だるま・写経 Ch07-04

87. 神社と同じく、寺院では、よく幸運を招く品を提供しています。

88. 小物には、お守りやおみくじなどがあります。

89. 護摩の儀式を提供する寺院もあります。

90. 自分の名前と願いを、護摩木（ごまぎ）と呼ばれる木片に書きます。

91. 願いが叶うようにと、僧侶がお祈りとともに護摩木を焼きます。

92. 達磨は、赤くて丸い人形です。

93. 達磨のモデルは、座って瞑想する達磨大師です。

94. 達磨の人形は、縁起が良いとされています。

95. 達磨の人形の目は、最初は空白になっています。

96. 達磨の持ち主が、願いを込めて、目を一つ描き入れます。

97. 持ち主は、願いが叶ったときに、もう一つの目を描き入れます。

98. 写経は、筆と墨を使って経典を写すことです。

99. 写経は、仏教の修業の一環として行われます。

100. 写経はよく、祈りや願いを込めて、お寺に奉納されます。

87. Like Shinto shrines, Buddhist temples often offer items bringing good fortune.

88. They include omamori charms and omikuji fortune telling paper strips.

89. Some temples offer to perform goma rituals.

90. You can write your name and wish on a wooden strip called gomagi.

91. The priest will burn it with a prayer to make your wish come true.

92. Daruma are red, round-shaped dolls.

93. The model for daruma is Bodhidharma sitting and meditating.

94. Daruma dolls are thought to bring good fortune.

95. Daruma dolls' eyes are blank at first.

96. The owner of a daruma draws in one eye while making a wish.

97. When the wish has come true, the owner draws in the other eye.

98. Shakyo is to copy a Buddhist scripture using a brush and Indian ink.

99. Shakyo is practiced as part of Buddhist training.

100. The copy is often dedicated to a temple along with prayers and wishes.

Chapter 08 地理と気候

◆地理 Ch08-01

1. 日本は、島国です。
2. 日本は、北半球に位置しています。
3. 日本は、極東に位置しています。
4. 日本は、アジア大陸の東に位置しています。
5. 日本は、アジア大陸から日本海で隔たれています。
6. 日本の近隣諸国には、中国、ロシア、韓国などがあります。
7. 日本列島は、太平洋の西の縁にあります。
8. 日本は、西側が東シナ海に面しています。
9. 日本は、北側がオホーツク海に面しています。
10. 日本の国土面積は、約37万8,000平方キロメートルです。
11. 日本の国土の大きさは、おおよそドイツと同じです。
12. 日本は、世界で62番目に広い国です。
13. 日本の排他的経済水域は、世界で6番目に大きいです。
14. 日本列島は、4つの主な島と、多くの小島からなっています。

1. Japan is an island nation.

2. Japan is located on the northern hemisphere.

3. Japan is located in the Far East.

4. Japan is located in the east of the Asian continent.

5. Japan is separated from the Asian continent by the Sea of Japan.

6. Japan's neighboring countries include China, Russia and South Korea.

7. The Japanese Archipelago is on the western rim of the Pacific Ocean. ※7

8. Japan faces the East China Sea to the west.

9. Japan faces the Sea of Okhotsk to the north.

10. Japan's land area is about 378,000 square kilometers.

11. Japan's land size is about the same as that of Germany.

12. Japan is the 62nd largest country in the world. ※12

13. Japan's EEZ is the sixth largest in the world. ※13

14. The Japanese Archipelago consists of four major islands and many smaller islands.

※7：archipelagoは、「列島」を意味します。archipelagoは本来、小さな島の集まりを意味しますが、日本は列島や諸島が多いため、本書では「日本列島」の英語名にthe Japanese Archipelago（単数扱い）、その他の「～列島」「～諸島」の英語名に the ～ Islands（複数扱い）を用いています。
※12：統計によって、61番目とも言われます。
※13：EEZは、Exclusive Economic Zoneの略です。

15. 北海道は、日本の主要４島のうち、最北端の島です。

16. 本州は、日本列島で最大の島です。

17. 四国は、日本の主要４島のうち、最も小さな島です。

18. 九州は、日本の主要４島のうち、最も西に位置しています。

19. 日本の国土地理院によりますと、日本には14,125の島があります。

20. 日本の最北端には、宗谷岬があります。

21. 宗谷岬は、北海道の最北端地に位置しています。

22. 宗谷岬は、北緯45度31分に位置しています。

23. 日本の最南端の島は、沖ノ鳥島です。

24. 沖ノ鳥島は、北緯20度25分に位置しています。

25. 沖ノ鳥島は、無人島です。

26. 日本の最南端の有人島は、沖縄県にある波照間島です。

27. 波照間島は、西表島の南に位置しています。

28. 日本の最西端の島は、与那国島です。

29. 日本の最東端の島は、南鳥島と呼ばれる無人島です。

30. 日本は、北から南に3,000キロメートルに及んでいます。

15. Hokkaido is the northernmost island among Japan's four main islands.

16. Honshu is the biggest island of the Japanese Archipelago.

17. Shikoku is the smallest among Japan's four main islands.

18. Kyushu is the westernmost island among Japan's four main islands.

19. According to Japan's Geographical Information Authority, Japan has 14,125 islands.

20. On Japan's northern tip lies Cape Soya.

21. Cape Soya is located in the northernmost area of Hokkaido.

22. Cape Soya is located to the north at 45 degrees and 31 minutes latitude.※22

23. Japan's southernmost island is Okinotori-shima.

24. Okinotori-shima is located to the north at 20 degrees and 25 minutes latitude.

25. Okinotori-shima is an uninhabited island.

26. Japan's southernmost inhabited island is Hateruma-jima in Okinawa Prefecture.

27. Hateruma-jima is to the south of Iriomote-jima.

28. Japan's westernmost island is Yonaguni-jima.

29. Japan's easternmost island is an uninhabited island called Minami-tori-shima.※29

30. Japan stretches 3,000 kilometers from north to south.

※22：日本の最北端は択捉島のカモイワッカ岬ですが、実効支配が及ぶのは宗谷岬の西北西沖約1kmにある無人島の弁天島です。宗谷岬は、日本の本土の最北端として紹介されます。なお、be locatedの後は、at 45 degrees and 31 minutes north latitudeとも言えます。
※29：日本の本土の最東端は北海道の納沙布岬になります。

◆都市と人口 Ch08-02

31. 日本の人口は、約1億2,400万人です。

32. 日本の首都は、東京です。

33. 東京は、本州の中央に位置しています。

34. 日本には、47の都道府県があります。

35. 東京は、日本の47都道府県のひとつです。

36. 東京都は、正式には、Tokyo Metropolisと呼ばれます。

37. 東京は、東部にある23の特別区と、西部にある市町村などの自治体からなっています。

38. 特別区は、英語で正式にはcityと呼ばれます。

39. たとえば、区のひとつである千代田区は、正式にはChiyoda Cityと呼ばれます。

40. 東京には、約1,400万人が住んでいます。

41. 首都圏は、東京都と周囲の県を指します。

42. 首都圏には、4,000万人以上が住んでいます。

43. 本州にある他の大都市には、横浜、名古屋、京都、大阪、広島などがあります。

44. 北海道の最大都市は、札幌です。

45. 北海道にある他の主要都市は、旭川、函館、釧路などです。

31. Japan's population is about 124 million.

32. Japan's capital is Tokyo.

33. Tokyo is located in the center of Honshu Island.

34. Japan has 47 prefectures.

35. Tokyo is one of Japan's 47 prefectures. ※35

36. Tokyo Prefecture is officially called Tokyo Metropolis.

37. Tokyo consists of 23 special wards in the eastern part, and other municipalities including cities, towns and one village in the western part.

38. The special wards are officially called cities in English.

39. For example, one of the wards called Chiyoda-ku is officially called Chiyoda City.

40. Tokyo is home to about 14 million people. ※40

41. The Tokyo Metropolitan area refers to Tokyo and its surrounding prefectures.

42. The Tokyo Metropolitan area is home to over 40 million people.

43. Other big cities in Honshu include Yokohama, Nagoya, Kyoto, Osaka and Hiroshima.

44. The biggest city in Hokkaido is Sapporo.

45. Other major cities in Hokkaido are Asahikawa, Hakodate and Kushiro.

※35：「東京」は文脈によって、東京都の略である場合と、東京都区部（23区）の総称である場合があります。大都市として紹介される「東京」はしばしば後者の意味です。
※40：動詞のliveを使う場合、Over 14 million people live in Tokyo.の語順にします。

46. 九州の最大都市は、福岡です。

47. 九州にある他の主要都市は、長崎、佐賀、熊本、大分、宮崎、鹿児島などです。

48. 四国には、高松、徳島、高知、松山などの主要都市があります。

49. 九州の南西地域には、数多くの諸島があります。

50. トカラ列島と奄美群島は、鹿児島県にあります。

51. 慶良間諸島と八重山諸島は、沖縄県にあります。

52. 沖縄本島は、沖縄県の主要かつ最大の島です。

◆ 気候 Ch08-03

53. 日本のほとんどの地域が、温帯に属しています。

54. 日本は、四季の区別が明確です。

55. 梅雨は、日本の初夏の雨期です。

56. 日本のほとんどの地域で、雨期があります。

57. 雨期は、6月中旬から7月中旬まで続きます。

58. 台風は、太平洋で発生する熱帯低気圧です。

59. 夏と秋に、台風が日本の一部に襲来します。

60. 日本の気候は、地域によって大きく異なります。

46. The biggest city in Kyushu is Fukuoka.

47. Other major cities in Kyushu are Nagasaki, Saga, Kumamoto, Oita, Miyazaki and Kagoshima.

48. Shikoku has such major cities as Takamatsu, Tokushima, Kochi and Matsuyama. ※48

49. Many chains of islands are located to the southwest of Kyushu Island.

50. The Tokara Islands and the Amami Islands are in Kagoshima Prefecture.

51. The Kerama Islands and the Yaeyama Islands are in Okinawa Prefecture.

52. Okinawa Island is the main and the largest island of Okinawa Prefecture.

53. Most parts of Japan belong to the temperate zone.

54. Japan has four distinct seasons.

55. Tsuyu is an early summer rainy season in Japan.

56. In most parts of Japan, there's a rainy season.

57. The rainy season lasts from mid-June to mid-July.

58. Typhoons are violent tropical storms occurring in the Pacific Ocean.

59. In summer and autumn, typhoons hit some parts of Japan.

60. Japan's climate differs greatly according to the region.

※48：such major cities as...は、major cities such as...の語順にもできます。

61. 最北端の県である北海道は、亜寒帯に属します。

62. 北海道の冬は、寒さが厳しいです。

63. 北海道の多くの地域で、冬に豪雪となります。

64. 北海道には、梅雨はありません。

65. 北海道の夏は、一般的に涼しくて快適です。

66. 冬には、日本列島に冷たい北西の風が吹きます。

67. その風は、日本海を北上する対馬海流によって暖められて、湿った空気となります。

68. その結果、その風が日本海に面した山岳地帯に、大雪をもたらします。

69. 日本海に面した地域には、秋田、新潟、金沢などがあります。

70. 北西の風は、その後、本州中央の山脈を越えていきます。

71. その結果、風はとても乾燥します。

72. 太平洋に面した地域では、冬に乾燥した晴天の日が続きます。

73. 夏には、日本列島に太平洋からの暖かい湿った南東の風が吹きます。

74. その結果、太平洋に面した地域では、夏に雨がたくさん降ります。

75. 太平洋に面した地域には、東京、名古屋、高知などがあります。

61. The northernmost prefecture of Hokkaido belongs to the subarctic zone.

62. Winters in Hokkaido are extremely cold.

63. Many parts of Hokkaido have heavy snow in winter.

64. Hokkaido has no rainy season.

65. Summers in Hokkaido are generally cool and comfortable.

66. In winter, cold northwest winds blow over the Japanese Archipelago.

67. The winds become wet, being warmed by the Tsushima Current flowing north through the Sea of Japan.

68. As a result, they bring heavy snow in the mountainous areas facing the Sea of Japan.

69. The areas facing the Sea of Japan include Akita, Niigata and Kanazawa.

70. The northwest winds then go over the mountain ranges in central Honshu.

71. As a result, the winds become very dry.

72. In the areas facing the Pacific Ocean, dry and sunny weather continues in winter.

73. In summer, the warm and wet southeastern winds from the Pacific Ocean blow over the Japanese Archipelago.

74. As a result, the areas facing the Pacific Ocean have a lot of rain during summer.

75. The areas facing the Pacific Ocean include Tokyo, Nagoya and Kochi.

76. 長野や松本などの内陸地は、降水量が比較的低いです。

77. 内陸地では、昼夜の寒暖差が大きいです。

78. それらの地域では、夏冬の寒暖差もまた大きくなります。

79. 高松や広島などの瀬戸内海地域でも、雨は比較的少ないです。

80. 瀬戸内海の地域では、冬の寒さはそれほど厳しくありません。

81. 沖縄を含む日本の南西諸島は、亜熱帯地域に属します。

82. 日本の南西諸島では、年間平均気温が摂氏20度を超えます。

83. 南西諸島を含む、太平洋に面した地域は、しばしば強力な台風の影響を受けます。

◆日本の自然 Ch08-04

84. 日本の森林は、国土の約67%を覆っています。

85. 日本の森林のほとんどが、山岳地帯に位置しています。

86. 日本の森林が国土を覆う割合は、世界の他の地域と比べて大きいです。

87. 北海道と本州北部には、常緑針葉樹が見られます。

88. 北海道や本州中央の山岳部には、落葉広葉樹林が見られます。

76. The inland areas such as Nagano and Matsumoto have less rainfall.

77. In the inland areas, the temperature differences between day and night are greater.

78. The temperature differences between summer and winter are also greater in those areas.

79. The Seto Inland Sea areas including Takamatsu and Hiroshima also have less rainfall.

80. The cold in winter is not so severe in the Seto Inland Sea areas.

81. The southwestern islands of Japan including Okinawa belong to the subtropical zone.

82. In the southwestern islands of Japan, average year-round temperatures are over 20 degrees Celsius.

83. The areas facing the Pacific Ocean including the southwestern islands are often affected by strong typhoons.

84. Japan's forests cover about 67 percent of the country.

85. Most forests in Japan are located in mountainous areas.

86. Japan's forests cover a large portion of the country compared to those in other parts of the world.

87. In Hokkaido and northern Honshu, evergreen coniferous trees are found.

88. Deciduous broadleaved forests can be found in mountainous areas in Hokkaido and central Honshu.

89. 本州西部や九州の平地では、常緑広葉樹林が見られます。

90. 人工林と天然林の割合は、約４対５です。

91. 人工林のおよそ半分が、第二次世界大戦後に植えられた杉の木からなっています。

92. 戦争中、日本の森林は、伐採によって大きなダメージを受けました。

93. 戦後、木材を供給するために、杉の木が広範囲に植えられました。

94. 杉は成長が早く、杉材は加工が簡単です。

95. 安い輸入材によって、多くの杉林は放置されました。

96. 春になると、多くの日本人が、スギ花粉によって引き起こされるアレルギー症状を患います。

97. 現在、政府は、人工林と天然林の管理方法の改善に取り組んでいます。

98. 植林された木で、他によく見られる樹種に、ヒノキと松があります。

99. 天然林の７割以上は、落葉広葉樹からなっています。

100. 日本の天然林は、優れた多様性を保っています。

89. Evergreen broadleaved trees can be found in flat land areas in western Honshu and Kyushu.

90. The ratio of artificial forests to natural forests is about four to five.

91. About half of the artificial forests consist of cedar trees planted after World War II.

92. During the war, Japan's forests were heavily damaged by deforestation.

93. After the war, cedar trees were planted extensively to provide timber.

94. Cedar trees grow faster and the timber is easier to process.

95. Due to cheaper imported timber, many cedar forests went neglected.

96. In spring, many Japanese suffer from allergies caused by cedar pollen.

97. Now the government is trying to better maintain both artificial and natural forests.

98. Other common species of planted trees include cypress and pine trees.

99. Over 70 percent of natural forests consist of broadleaved trees.

100. Japan's natural forests retain great diversity.

Chapter 09 観光

◆自然公園・文化財 Ch09-01

1. 日本では、1931年に国立公園法が制定されました。
2. この法のもとで、瀬戸内海、雲仙、霧島が、日本の最初の国立公園に指定されました。
3. 第二次世界大戦後、この法律は自然公園法に取って代わられました。
4. 2024年1月現在、国立公園が34か所、国定公園が58か所指定されています。
5. 国立公園も国定公園も、環境大臣によって指定されます。
6. 国立公園は、中央政府によって管理されます。
7. 国定公園は、地方自治体によって管理されます。
8. 明治維新後、神仏分離令が出されました。
9. 分離によって、廃仏毀釈の運動が起こりました。
10. 仏教関連の重要な文化財が、壊されたり海外へ持ち出されたりしました。
11. これらの文化財を守るために、古社寺保存法が制定されました。
12. 戦後、この法律は、文化財保護法に取って代わられました。

1. In Japan, the National Parks Law was enacted in 1931.

2. Under the law, the Seto Inland Sea, Unzen and Kirishima were designated as Japan's first National Parks.

3. After World War II, this law was replaced by the Natural Parks Law.

4. As of January 2024, 34 National Parks and 58 Quasi-National Parks have been designated.

5. Both National Parks and Quasi-National Parks are designated by the Minister of the Environment.

6. National Parks are administered by the central government.

7. Quasi-National Parks are administered by the local governments.

8. After the Meiji Restoration, an order to separate Shinto and Buddhism was issued.

9. The separation caused an anti-Buddhist movement.

10. Important Buddhist cultural properties were damaged or taken outside Japan.

11. In order to protect those properties, the laws to preserve old temples and shrines were enacted.

12. After World War II, these laws were replaced by the Cultural Property Protection Law.

13. この法律のもとで、価値のある文化財は、重要文化財に指定されています。

14. 特に価値の高い重要文化財は、国宝に指定されています。

15. 2024年1月現在、1,100件を超える文化財が国宝に指定されています。

16. この法律のもとでは、名勝と天然記念物も指定されています。

17. 有形文化財と無形文化財があります。

18. 無形文化財には、舞台芸能や工芸技術などがあります。

19. 優れた無形文化財の保持者は、人間国宝に指定されます。

◆世界遺産 Ch09-02

20. 2024年1月現在、日本国内の５つの地域が世界自然遺産リストに加えられています。

21. それらは、白神山地、屋久島、知床、小笠原諸島、および、奄美大島、徳之島、沖縄島北部及び西表島です。

22. 青森県と秋田県の境にある白神山地は、手つかずのブナの原生林が特徴です。

23. 鹿児島県にある屋久島は、樹齢千年におよぶ杉が特徴です。

13. Under this law, valuable cultural properties are designated as important cultural properties.

14. Especially valuable important cultural properties are designated as National Treasures.

15. As of January 2024, more than 1,100 objects have been designated as National Treasures.

16. Scenic spots and natural monuments are also designated under this law.

17. There are tangible cultural properties and intangible cultural properties.

18. Intangible cultural properties include stage performances and craftsmanship.

19. The distinguished retainers of intangible cultural properties are designated as Living National Treasures.

20. As of January 2024, five sites in Japan have been added to the World Natural Heritage list.

21. They are Shirakami-sanchi, Yakushima, Shiretoko, the Ogasawara Islands, as well as Amami-Oshima Island, Tokunoshima Island, northern part of Okinawa Island, and Iriomote Island.

22. Shirakami-sanchi, on the boundaries of Aomori and Akita Prefectures, features unspoiled virgin beech forests.※22

23. Yakushima Island in Kagoshima Prefecture features one-thousand-year-old cedar trees.

※22：unspoiledは、24のuntouchedや25のintactと、同義語として互換性があります。

24. 北海道にある知床半島は、手つかずの自然と多様な生態系が特徴です。

25. 東京のはるか南にある小笠原諸島は、手つかずの自然と固有種の動植物が特徴です。

26. 奄美大島、徳之島、沖縄島北部及び西表島はその生物多様性が評価されています。

27. 2024年1月現在、20件が世界文化遺産リストに加えられています。

28. 奈良県の法隆寺には、世界最古の木造建築物群があります。

29. 兵庫県の姫路城は、17世紀初期に築造されました。

30. 京都は、千年以上にわたって日本の首都でした。

31. 合掌造りの民家は、急こう配の茅葺き屋根が特徴です。

32. 広島県の原爆ドームは、世界最初の原爆攻撃を記憶に留めさせるものです。

33. 広島県の厳島神社は、海に立つ赤い鳥居で有名です。

34. 奈良は、8世紀に日本の首都でした。

35. 栃木県の日光にある東照宮は、江戸幕府の初代将軍である徳川家康を祀っています。

36. グスクは、中世に造られた琉球王国の城です。

24. The Shiretoko Peninsula on the island of Hokkaido features untouched nature and a diverse ecology.

25. The Ogasawara Islands in the far south of Tokyo feature intact nature and many native species of plants and animals.

26. Amami-Oshima Island, Tokunoshima Island, the northern part of Okinawa Island, and Iriomote Island are valued for their biodiversity.

27. As of January 2024, 20 sites have been added to the World Cultural Heritage List.

28. Horyuji Temple in Nara Prefecture has the world's oldest wooden structures.

29. Himeji Castle in Hyogo Prefecture was constructed in the early 17th century.

30. Kyoto was Japan's capital for over 1,000 years.

31. Gassho-zukuri folk houses feature steep thatched roofs.

32. The Genbaku Dome in Hiroshima Prefecture is a reminder of the world's first A-bomb attack.

33. Istukushima Shrine in Hiroshima Prefecture is famous for its red torii standing in the sea.

34. Nara was Japan's capital in the 8th century.

35. Toshogu Shrine in Nikko, Tochigi Prefecture, enshrines Tokugawa Ieyasu, the first shogun of the Tokugawa Shogunate.

36. Gusuku are castles built in the Ryukyu Kingdom in the Middle Ages.

37. 紀伊山地の参詣道は、その地域にある神聖な社寺を訪れるために、昔から使われてきました。

38. 島根県の石見銀山は、最盛期の17世紀には、年間40トン近くの銀を生産しました。

39. 岩手県の平泉にある歴史的遺産は、12世紀における阿弥陀信仰の強い影響を反映しています。

40. 富士山は、古代から神聖な山として崇敬されてきました。

41. 富岡製糸場は、日本製の生糸の質を向上させるために、国によって建設されました。

42. 明治時代に、日本の製鉄・鉄鋼、造船、石炭産業は、日本の産業革命におおいに寄与しました。

43. 東京の国立西洋美術館は、1950年代にル・コルビュジエによって設計されました。

44. 福岡県の沖ノ島は、古代から神聖な儀式場とされてきました。

45. 長崎と天草地方には数多くの潜伏キリシタン関連遺産があります。

46. 大阪府の百舌鳥・古市古墳群は古代の巨大古墳群です。

47. 北海道・北東北の縄文遺跡群は、紀元前13,000年から紀元前2,000年ぐらいの遺跡群です。

37. Pilgrimage routes in the Kii Mountain Range have long been used to visit sacred shrines and temples in the area.

38. The Iwami Silver Mine in Shimane Prefecture produced nearly 40 tons of silver annually at its height in the 17th century.

39. The historical monuments in Hiraizumi in Iwate Prefecture reflect the strong influence of Amida Buddhism during the 12th century.

40. Mt. Fuji has been worshiped as a sacred mountain since ancient times.

41. The Tomioka Silk Mill was built by the state to improve the quality of Japan's silk.

42. In the Meiji Period, Japan's iron and steel, shipbuilding and coal mining industries greatly contributed to Japan's industrial revolution.

43. The National Museum of Western Art in Tokyo was designed by Le Corbusier in the 1950s.

44. Okinoshima Island in Fukuoka Prefecture has been a sacred ritual site since ancient times.

45. The Nagasaki and Amakusa regions have numerous hidden Christian-related heritage sites.

46. The Mozu-Furuichi Kofun Group in Osaka Prefecture is an ancient cluster of massive burial mounds.

47. The Jomon Archaeological Sites in Hokkaido and Northern Tohoku date from around 13,000 BCE to approximately 2,000 BCE.

◆重要伝統的建造物群保存地区・重要文化的景観・日本遺産 Ch09-03

48. 文化庁は、伝統的建造物群をリストにしています。

49. リストに掲載された建造物群は、地方自治体の条例によって保存されています。

50. 昔の城下町、宿場町、門前町、商家町、漁村、農村集落などが含まれています。

51. 文化庁は、重要文化的景観もリストにしています。

52. リストに掲載された地域は、地方自治体の条例によって保存されています。

53. 地元住人の生計に深く結びついた、水田や里山や、その他の景観が含まれています。

54. 文化庁はまた、重要な観光地を日本遺産として認可しています。

55. このリスト化は、地域への訪問者を増やすことで、その観光業を促進することが目的です。

◆旧街道 Ch09-04

56. 江戸時代には、重要な都市を結ぶ街道が発達しました。

57. 街道は、現在は東京である江戸から、日本全体に広がっています。

48. The Agency for Cultural Affairs lists Groups of Traditional Buildings.※48

49. The listed groups are protected under their local governments' legislation.

50. They include former castles towns, post stations, temple and shrine towns, commercial towns, fishing villages, and agricultural villages.

51. The agency also lists Important Cultural Landscapes.

52. The listed areas are preserved under their local governments' legislation.

53. They include paddy fields, semi-natural areas and other landscapes deeply connected to the livelihood of local residents.

54. The agency also certifies important sightseeing areas as Japan Heritage.

55. The listings aim to promote tourism by attracting more visitors to these areas.

56. In the Edo Period, highways connecting important cities were developed.

57. They spread from Edo, now Tokyo, to the rest of Japan.

※48：対象の地区は「重要伝統的建造物群保存地区」（重伝建）と呼ばれます。

58. 街道には、東海道、中山道、日光街道、奥州街道、甲州街道という、主要な五街道が含まれます。

59. 東海道は、江戸と京都を結ぶ、海岸沿いの街道です。

60. 中山道は、江戸と京都を結ぶ、山あいの街道です。

61. 甲州街道は、江戸と、今日の甲府市にあたる甲斐国を結んでいました。

62. 日光街道は、江戸と栃木県の日光を結んでいました。

63. 奥州街道は、江戸と本州の北部を結んでいました。

64. 江戸時代には、主要な街道沿いに多くの宿場町が設けられました。

65. 宿場町は、旅行者に宿泊施設を提供しました。

66. 本陣と脇本陣は、移動する大名のための贅沢な宿でした。

67. 旅籠は、庶民のための宿でした。

68. かつての宿場町の中には、観光のために歴史的建造物を保持しているところもあります。

◆ 宿泊施設 Ch09-05

69. 明治時代には、旅籠が今日の旅館へと発展しました。

58. They include five main highways: the Tokaido, Nakasendo, Nikkokaido, Oshukaido and Koshukaido. ※58

59. The Tokaido was a coastal route connecting Edo and Kyoto.

60. The Nakasendo was a mountainous route connecting Edo and Kyoto.

61. The Koshukaido connected Edo and the Kai province, today's Kofu City.

62. The Nikkokaido connected Edo and Nikko in Tochigi Prefecture.

63. The Oshukaido connected Edo and the northern part of Honshu.

64. In the Edo period, many post stations were built along main highways.

65. The post stations provided accommodations for travelers.

66. Honjin and waki-honjin were luxurious inns used by traveling feudal lords.

67. Hatago were inns for ordinary people.

68. Some former post stations have preserved their historic buildings for tourism.

69. In the Meiji Period, the hatago developed into today's ryokan.

※58：江戸時代の正式名称では、日光街道、奥州街道、甲州街道はそれぞれ、日光道中、奥州道中、甲州道中といいます。

70. 明治時代には、海外からの客のために、西洋式のホテルも建設されました。

71. 旅館は、和室、和食、大きな共同浴場が特徴です。

72. 旅館には、しばしば露天風呂と呼ばれる、屋外の温泉浴場があります。

73. 共同浴場では、水着の着用はできません。

74. お湯につかる前に、身体を洗わなければなりません。

75. 民宿と呼ばれる、家族経営の宿があります。

76. 民宿は、たいてい、旅館よりも安価です。

77. 都市部には、いわゆるシティホテルとビジネスホテルがあります。

78. シティホテルは、宴会場や会議場などが供えられた高級ホテルを指します。

79. ビジネスホテルは、出張旅行者に簡素なサービスと施設を低価格で提供します。

◆ 鉄道 Ch09-06

80. 日本における鉄道の建設は、明治初期に始まりました。

81. 日本は、軌道が1,067mmの狭軌を採用しました。

82. 1930年代に、政府は、軌道が1,435mmの標準軌を用いた新しい鉄道の建設を計画しました。

83. その計画は、第二次世界大戦の途中で断念されました。

70. In the Meiji Period, Western-style hotels were also built for guests from overseas.

71. Ryokan feature Japanese rooms, Japanese cuisine and large communal baths.

72. Ryokan often have outdoor hot spring baths called roten-buro.

73. No swim suits are allowed in communal baths.

74. You must wash your body before soaking in the water.

75. There are family-run inns called minshuku.

76. Minshuku are usually less expensive than ryokan.

77. In cities, there are the so-called city hotels and business hotels.

78. City hotels refer to first-class hotels equipped with banquet halls and convention rooms.

79. Business hotels offer simple services and facilities for business travelers at cheaper prices.

80. The construction of railways in Japan started in the early Meiji Period.

81. Japan adopted narrow gauge railway tracks of 1,067 mm.

82. In the 1930s, the government planned the construction of new railways using regular tracks of 1,435 mm.※82

83. The project was abandoned in the middle of World War II.

※82：東京～下関～釜山～満州を最高時速200kmの列車で結ぶ高速鉄道の建設計画で、通称「弾丸列車計画」と呼ばれました。

84. 戦後、新鉄道の建設が再び必要となりました。

85. 技師たちは、時速200kmを超える列車の設計に成功しました。

86. 当初から、その建設は1964年の東京オリンピックまでに完成される予定でした。

87. 新幹線は、オリンピック開会直前に、東京～新大阪間で運行が開始されました。

88. 今日、新幹線は、本州、九州、北海道の主要都市を結んでいます。

89. いわゆるミニ新幹線は、小型の車体を持つ新幹線列車です。

90. ミニ新幹線は、半径が小さいカーブや狭いトンネルが多い在来線を走ります。

91. ミニ新幹線の軌間は、フル規格の新幹線と同じです。

92. 山形新幹線と秋田新幹線は、ミニ新幹線です。

93. 山形新幹線は、東北新幹線から福島で分岐します。

94. 秋田新幹線は、東北新幹線から盛岡で分岐します。

95. 東海道・山陽新幹線の列車には、のぞみ号、ひかり号、こだま号といった名称が与えられています。

84. After the war, the construction of new railways became necessary once again.※84

85. The engineers succeeded in designing trains capable of traveling over 200 kph.

86. From its beginning, the construction was set to be completed by the 1964 Tokyo Olympic Games.

87. The Shinkansen first went into service between Tokyo and Shin-Osaka just before the opening of the Olympics.

88. Today, the Shinkansen connects major cities in Honshu, Kyushu and Hokkaido.

89. The so-called mini-Shinkansen are Shinkansen trains with smaller bodies.

90. The mini-Shinkansen run on conventional routes with many sharp curves and narrow tunnels.

91. The gauge size of the mini-Shinkansen tracks is the same as that of regular Shinkansen tracks.※91

92. The Yamagata Shinkansen and the Akita Shinkansen are mini-Shinkansen.

93. The Yamagata Shinkansen branches off from the Tohoku Shinkansen at Fukushima.

94. The Akita Shinkansen branches off from the Tohoku Shinkansen at Morioka.

95. The Tokaido and Sanyo Shinkansen trains are given names like Nozomi, Hikari and Kodama.※95

※84：1,435mmの標準軌を用いた新幹線を指しています。
※91：ともに軌道は1,435mmの標準軌です。
※95：他の新幹線の列車にも、それぞれ個別の名称が与えられています。

96. ひかりとこだまは、それぞれ、急行列車と各駅停車です。

97. のぞみは、東京から新大阪まで、約２時間半かかります。

98. のぞみは、東京から九州の博多まで、約５時間かかります。

99. 新幹線を利用するには、普通運賃に加え、特別料金を支払う必要があります。

100. 指定席や、特別席であるグリーン車の座席には、特別料金を支払う必要があります。

96. The Hikari and Kodama are a limited express train and a local service train respectively. ※96

97. The Nozomi takes about two and a half hours to get to Shin-Osaka from Tokyo.

98. The Nozomi takes about five hours to get to Hakata in Kyushu from Tokyo.

99. To use the Shinkansen, you need to pay an extra fee in addition to the basic train fare.

100. For reserved seats and first-class Green Car seats, you need to pay an extra fee.

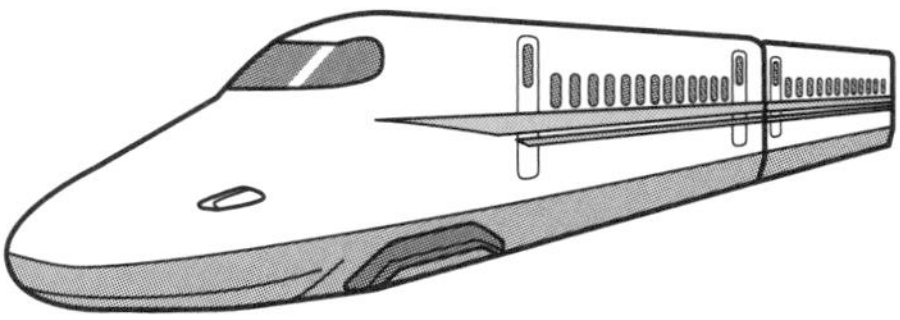

※96：本来、新幹線は全て「特急」（特別急行）で、共通の特急料金が発生します（のぞみは、指定席料金が他よりも高く設定してあります）。一方、英語では、停車駅の数によって呼び分けるのが普通で、停車駅が最も少ないのが、super-express、停車駅が限られているのがlimited express、すべての駅に停車するのがlocalとなります。96.の「急行列車」と「各駅停車」は英語のlimited expressとlocalをそれぞれ日本語に訳したものです。

Chapter 10 歴史

◆原始時代（旧石器・縄文・弥生・古墳） Ch10-01

1. 約5000万年前、日本は、アジア大陸の一部でした。

2. 1万2000年前ごろまでに、日本列島は現在の形になりました。

3. 日本で発見された遺骨で、知られる限り最古のものは1万8000年前にさかのぼります。

4. おおよそ紀元前1万年から紀元前300年までの時期は、縄文時代と呼ばれています。

5. 縄文時代は、縄文式土器によって特徴づけられています。

6. 縄文式土器は、表面に付けられた縄の文様によって特徴づけられています。

7. 縄文時代には、人々は狩猟採集によって生活していました。

8. 縄文時代の後には、おおよそ紀元前300年から西暦300年ごろまでの弥生時代がありました。

9. 弥生時代は、弥生式土器や青銅器・鉄器などによって特徴づけられています。

10. 水稲耕作は、弥生時代に始まりました。

11. 人々は、農業のために自分の土地に定住するようになりました。

1. Japan was part of the Asian continent about 50 million years ago.

2. The Japanese Archipelago had grown into its present shape by 12,000 years ago.

3. The oldest known human remains discovered in Japan date back to over 18,000 years ago.

4. The period between roughly 10,000 BCE and 300 BCE is called the Jomon Period.※4

5. The Jomon Period is characterized by Jomon-style earthenware.

6. Jomon-style earthenware is characterized by its rope-pattern motifs on the surface.

7. In the Jomon Period, people lived by hunting and gathering.※7

8. After the Jomon Period, there was the Yayoi Period between roughly 300 BCE and 300 CE.※8

9. The Yayoi Period is characterized by Yayoi-style earthenware, and bronze and iron wares.

10. Wet-rice agriculture started in the Yayoi Period.

11. People began to settle onto their land for agriculture.

※4、8：縄文時代、弥生時代ともに、始まりから終わりまでの期間については諸説あります。
※7：「狩猟採集民族」のことは、hunter-gatherersといいます。

12. 収穫された米は、蓄えられて、財産として貯蔵されました。

13. 蓄財によって、階級の区分が生まれました。

14. 地方の豪族が、自分の国を造り始めました。

15. 国々は、領土を拡張するために、お互いに戦い始めました。

16. 古代中国の歴史資料によれば、日本は100以上の小国に分かれていました。

17. 自国の王として認めてもらうために、豪族たちは、中国に使いを送りました。

18. 戦い合っていた小さな国々は、邪馬台国という名の国によって統一されました。

19. 卑弥呼は、邪馬台国の女王でした。

20. 邪馬台国は、今日の奈良県や京都府あたりの畿内と呼ばれる地域、もしくは、九州にあったと言われます。

21. ヤマト王権と呼ばれる政治権力が、4世紀ごろに生まれました。

22. 邪馬台国とヤマト王権の関係は、まだわかっていません。

23. ヤマト王権は、大王を主権者とし、畿内から日本を統治しました。

24. 古墳と呼ばれる無数の墳丘が、3世紀から7世紀にかけて作られました。

25. 古墳は、権力のある身分の高い統治者のために作られました。

12. Harvested rice was accumulated and kept as a form of wealth.

13. The accumulation of wealth created class divisions.

14. Regional rulers started to build their own countries.

15. Countries started to fight with each other to expand their territories.

16. According to an old Chinese historical record, Japan was divided into over 100 small countries.

17. In order to be recognized by China as the king of their respective countries, each ruler sent envoys to China.

18. The small warring countries were united under the country named Yamatai-koku.

19. Himiko was the queen of Yamatai-koku.

20. It is said Yamatai-koku was either in Kinai, the area around today's Nara and Kyoto Prefectures, or in Kyushu.

21. The government body called the Yamato Kingship emerged around the 4th century. ※21

22. The connections between Yamatai-koku and the Yamato Kingship are not yet known.

23. The Yamato Kingship governed Japan from the Kinai area with the king at its head. ※23

24. Numerous burial mounds called kofun were built between the 3rd and 7th century.

25. Kofun were built for powerful, high-class rulers.

※21：近年では古墳時代から飛鳥時代までの日本の政権を「ヤマト王権」、それ以降を「大和朝廷」と呼び分けるのが一般的です。

※23：天皇は当初、「大王（おおきみ）」と呼ばれていました。「天皇」の称号が用いられるようになるのは7世紀ごろからです。

◆古代（飛鳥時代～奈良時代～平安時代） Ch10-02

26. ７世紀のはじめに、聖徳太子が中央集権化を目指しました。

27. 大和朝廷は、中国の文化や政治制度を学ぶために、遣使を中国に送りました。

28. ７世紀末に、律令と呼ばれる法律が作られました。

29. 律令は、中国の法律を手本に作られました。

30. 律は、刑法の一種でした。

31. 令は、行政法など、律にはない法律を含んでいました。

32. 律令のもと、土地と人民の所有権は、地方の豪族から中央政府に移りました。

33. ７１０年に、首都は、今日の奈良市にあたる平城京に遷されました。

34. 平城京の時代は、奈良時代と呼ばれます。

35. 奈良時代に、土地の個人所有が認められました。

36. 特権階級が所有する私有地は、荘園と呼ばれました。

37. 荘園は、有力な貴族、寺院、神社などによって開発され、運営されました。

38. 奈良時代には、国家鎮護の手段として仏教が奨励されました。

26. In the early 7th century, Prince Shotoku tried to centralize power.

27. The Yamato Chotei sent envoys to China to study Chinese culture and its political systems.

28. In the late 7th century, laws called Ritsu-ryo were created. ※28

29. The Ritsu-ryo were patterned after Chinese laws.

30. The Ritsu were a kind of criminal law.

31. The Ryo included any laws not in the Ritsu, such as administrative laws.

32. Under the Ritsu-ryo, the ownership of land and people was shifted from regional rulers to the state.

33. In 710, the capital was moved to Heijokyo in today's Nara City.

34. The era of Heijokyo is called the Nara Period. ※34

35. In the Nara Period, private land ownership was allowed.

36. Private land owned by the privileged class was called shoen.

37. The shoen was developed and run by powerful aristocrats, temples and shrines.

38. In the Nara Period, Buddhism was promoted as a way to protect the nation.

※28：本格的な律令である「大宝律令」が成立したのは701年です。
※34：広義では、長岡京時代（784-794）も含め、平城京遷都の710年から平安京遷都の794年までを指します。

39. 794年に、首都は、今日の京都市にあたる平安京に遷されました。

40. 平安京の時代は、平安時代と呼ばれます。

41. 平安時代初期には、中国文化の影響が強くなりました。

42. 藤原氏は、重要な政治的地位を独占するようになりました。

43. 894年には、遣唐使と呼ばれる中国への遣使が停止されました。

44. そのころ、日本は独特の文化を発達させ始めました。

45. かなと呼ばれる、日本語用の新しい独特な表音文字が発明されました。

46. かなの使用は、日本の宮廷文学の発達に寄与しました。

47. 当時の最も著名な作品のひとつは、紫式部が著した『源氏物語』です。

48. 貴族に仕える武装した使用人が、武士へと成長していきました。

49. 武士は、主人の荘園を守ることで影響力を拡大していきました。

50. 一部の武士は、朝廷に対し反乱を起こしました。

51. 12世紀の終わりには、武士の勢力は強大になっていました。

39. In 794, the capital was moved to Heiankyo in today's Kyoto City.

40. The era of Heiankyo is called the Heian Period.

41. In the early Heian Period, Chinese culture became highly influential.

42. The Fujiwara clan came to dominate important political posts.

43. In 894, the envoys being sent to China, called kentoshi, were discontinued.

44. Around that time, Japan began to develop its own original culture.

45. New unique phonetic symbols for Japanese called kana were invented.

46. The use of kana contributed to the development of Japan's court literature.

47. One of the most notable works of that time is *The Tale of Genji* by Murasaki Shikibu.

48. The armed servants of aristocrats grew to become samurai.※48

49. The samurai expanded their influence by protecting their masters' shoen.

50. Some of these samurai rebelled against the Imperial Court.

51. By the end of the 12th century, the power of the samurai had grown significantly.

※48：日本語の「武士」は、武芸を使って軍事に携わる社会層を意味します。一方、「侍」は、古代に身分呼称として生まれた武士の別名で、江戸時代には士農工商のうちの「士」の身分を指す語として使われました。日本の武士が外国に紹介される中で、外国では、samuraiの名で知られるようになりました。

◆中世（鎌倉時代～室町時代～戦国時代） Ch10-03

52. 12世紀末に、源頼朝は、鎌倉幕府という日本初の幕府を開きました。

53. 幕府の制度では、天皇が武士階級の指導者に将軍という称号を与えました。

54. 将軍という称号によって、天皇の権威のもと、その指導者は日本を統治することができました。

55. 14世紀に、鎌倉幕府は室町幕府に取って代わられました。

56. 室町幕府は、禅宗を奨励しました。

57. 禅の影響のもと、枯山水や水墨画などが発達しました。

58. 15世紀末に、戦国時代が始まりました。

59. 戦国時代は、内戦の時代でした。

60. 戦国時代に、ヨーロッパから鉄砲とキリスト教が日本に伝わりました。

52. In the late 12th century, Minamoto no Yoritomo established Japan's first shogunate called the Kamakura Bakufu.

53. Under the shogunate system, the emperor gave the title of shogun to the leader of the samurai.※53

54. The title of shogun allowed the leader to govern Japan under the authority of the emperor.

55. The Kamakura Shogunate was replaced by the Muromachi Shogunate in the 14th century.※55

56. The Muromachi Shogunate promoted Zen Buddhism.※56

57. Under the influence of Zen, dry landscape gardens and Indian ink painting developed.※57

58. In the late 15th century, the Warring States Period began.

59. The Warring States Period was a time of civil war.

60. During the Warring States Period, guns and Christianity were introduced to Japan from Europe.

※53：「天皇」の表記方法は資料によって異なりますが、本書では、次のように統一してあります。⑴「天皇」を普通名詞として指す場合はthe emperor。基本的に天皇は同時に1人しか存在しないため、多くの場合、theが付きますが、歴史上の不特定の天皇を指す場合、an emperor、emperorsもあり得えます。⑵「今上天皇」の場合はthe Emperor。⑶諡号を伴う場合は、the Emperor XX（例:the Emperor Showa）。⑷諡号ではなく、実名を用いる場合は、theを付けずに、Emperor XX（例:Emperor Hirohito）。

※55：「室町」は、室町幕府3代将軍の足利義満が建てた邸宅「花の御所」の所在地であった京都の室町通に由来しますが、初代将軍の足利尊氏の時代までさかのぼって、足利家の政権を「室町幕府」と称します。

※56：幕府は、禅宗の一派である臨済宗を奨励しました。

※57：「墨」の訳は、アメリカ英語ではIndia ink、イギリス英語ではIndian inkとするのが一般的です。

◆近世（安土桃山時代～江戸時代） Ch10-04

61. 16世紀末に、織田信長や豊臣秀吉によって日本は再統一されました。

62. 17世紀初期に、戦国大名の徳川家康が江戸に幕府を開きました。

63. 江戸は、現在の日本の首都である東京の、昔の名称です。

64. 江戸幕府は、19世紀半ばまで、250年以上続きました。

65. 江戸幕府の時代は、江戸時代と呼ばれます。

66. 江戸時代には、鎖国政策が実施されました。

67. キリスト教と民間貿易は、禁止されました。

68. 長崎の出島は、外国に開かれた唯一の地でした。

69. 幕府は、オランダ人と中国人との対外貿易を独占しました。

70. 出島を通じて、西洋の知識が日本に入ってきました。

71. オランダ語と西洋科学の研究が、盛んになりました。

72. さらなる経済発展によって、庶民が持つ力が大きくなりました。

61. In the late 16th century, Japan was reunited by Oda Nobunaga and Toyotomi Hideyoshi.

62. In the early 17th century, the warlord Tokugawa Ieyasu established his shogunate in Edo.

63. Edo is the old name for Tokyo, which is the current capital of Japan.

64. The Tokugawa Shogunate lasted over 250 years until the mid-19th century. ※64

65. The era of the Tokugawa Shogunate is called the Edo Period.

66. During the Edo Period, a policy of national isolation was implemented.

67. Christianity and private foreign trade were banned.

68. Dejima Island in Nagasaki was the only place opened to foreign countries.

69. The shogunate dominated trade with Dutch and Chinese traders.

70. Through Dejima, Western knowledge was introduced to Japan.

71. The study of the Dutch language and Western science became popular.

72. With greater economic development, the power held by the commoners increased.

※64:「江戸幕府」の英訳に関しては、the Edo Shogunateよりも、the Tokugawa Shogunateの方が一般的です。

73. 庶民は、自らの文化を発達させました。

74. 舞台演劇の歌舞伎や人形劇の文楽が、庶民の間で人気になりました。

75. 浮世絵と呼ばれる木版画が、庶民の間で人気になりました。

76. 浮世絵には、美人、力士、歌舞伎俳優、日本の風景などが描かれました。

77. 19世紀半ば、西洋諸国は日本に対して開国するように圧力をかけました。

78. 江戸幕府は、鎖国政策を廃止しました。

79. 江戸幕府の治世は、1867年に終わりました。

80. 天皇の権力が、復古されました。

◆ 近代（明治時代～第二次世界大戦） Ch10-05

81. 明治天皇を元首とする新政府が、1868年に誕生しました。

82. 首都は、京都から江戸に遷されました。

83. 江戸は、東京と改称されました。

84. 明治初期に、日本は急速な近代化を行いました。

85. 1889年に、明治憲法が発布されました。

73. The commoners developed their own culture.

74. Kabuki stage drama and Bunraku puppet theater became popular among the commoners.

75. Woodblock printings called ukiyo-e became popular among the commoners.

76. Ukiyo-e depicted beautiful women, sumo wrestlers, Kabuki actors and Japanese landscapes.

77. In the mid-19th century, Western countries pressured Japan to open its boarders.

78. The Tokugawa Shogunate abandoned its national isolation policy.

79. The reign of the Tokugawa Shogunate ended in 1867.

80. The power of the emperor was restored. [※80]

81. The new government with the Emperor Meiji at its head was founded in 1868.

82. The capital was moved from Kyoto to Edo.

83. Edo was renamed Tokyo.

84. In the early Meiji Period, Japan went through rapid modernization.

85. In 1889, the Meiji Constitution was promulgated. [※85]

※80：「明治維新」は、革命（revolution）ではなく、天皇の統治の復古であったため、「王政復古」の意味のrestorationを用いて、the Meiji Restorationと呼ばれます。
※85：正式名称は、『大日本帝国憲法』です。

86. その憲法は、主権が天皇にあると定めていました。

87. 日清戦争が、1894年に起こりました。

88. 日清戦争は、日本の勝利に終わりました。

89. 日露戦争が、1904年に起こりました。

90. 日露戦争は、日本の勝利に終わりました。

91. 日本では、20世紀の変わり目に産業革命が起こりました。

92. 1920年代に、日本は経済恐慌に襲われました。

93. 1930年代に、日本軍による中国への軍事侵攻が拡大し始めました。

94. 1937年に、中国との2度目の戦争が起こりました。

95. 1940年に、日本・ドイツ・イタリアは、軍事同盟を結びました。

96. 第二次世界大戦の初期、日本は英米に宣戦布告をしました。

97. 戦争は、日本の無条件降伏とともに終結しました。

◆ 現代（第二次世界大戦後） Ch10-06

98. 1946年に、新しい憲法が公布されました。

99. 新憲法は、主権在民、基本的人権の尊重、戦争の放棄を定めています。

100. 女性を含めた普通選挙権が、憲法によって保証されています。

86. The constitution stipulated the sovereignty of the emperor.

87. The Sino-Japanese War broke out in 1894.

88. The Sino-Japanese War ended in Japan's victory.

89. The Russo-Japanese War broke out in 1904.

90. The Russo-Japanese War ended in Japan's victory.

91. Japan went through its industrial revolution at the turn of the 20th century.

92. In the 1920s, Japan experienced an economic depression.

93. Japan started to expand its military invasion into China in the 1930s.

94. The second war with China broke out in 1937.

95. Japan, Germany and Italy formed a military alliance in 1940.

96. In the early stages of World War II, Japan declared war on the U.S. and the U.K.

97. The war ended in Japan's unconditional surrender.

98. A new constitution was promulgated in 1946.※98

99. The new constitution stipulates the sovereignty of the people, the protection of fundamental human rights and the renunciation of war.

100. Universal suffrage, including that of women, is guaranteed by the constitution.

※98：日本国憲法は、1946年11月3日に公布され、1947年5月3日に施行されました。

Chapter 11 建物・家屋

◆伝統家屋 Ch11-01

1. 伝統的な日本家屋は、木造です。

2. 伝統的な日本家屋には、瓦葺の屋根があります。

3. 入口には、玄関と呼ばれる空間があります。

4. 玄関で、履物を脱ぎます。

5. 内部の床の高さは、玄関よりも高くなっています。

6. これは、外のほこりなどが、内部に入ってくるのを防ぐためです。

7. 和室の床は、畳で覆われています。

8. 日本人は、畳に座ったり、寝転んだりします。

9. 畳は、藁(わら)でできています。

10. 畳の表面は、編まれたイグサで覆われています。

11. 畳部屋では、ちゃぶ台と、座布団と呼ばれる床クッションを使います。

12. 普通、部屋のひとつに床の間と呼ばれる窪みがあります。

13. 床の間は、神聖な場所とされています。

14. 床の間には、しばしば、掛け軸や花瓶にさした花が飾られます。

1. Traditional Japanese houses are made of wood.
2. Traditional Japanese houses have a tiled roof.
3. At the entrance, there is an area called the genkan.
4. At the genkan, people take off their footwear.
5. The level of the floor inside is higher than that of the genkan.
6. This is to prevent dirt outside from coming inside.
7. The floors of traditional Japanese rooms are covered with tatami mats.
8. The Japanese sit and lie down on these tatami.
9. Tatami are made of straw.
10. Their surfaces are covered with a woven rush.
11. People use low tables and floor cushions called zabuton in tatami rooms.
12. One of the rooms usually has an alcove called a tokonoma.※12
13. The tokonoma is regarded as a sacred place.
14. A hanging scroll and a vase of flowers are often displayed in the tokonoma.

※12：alcoveは、西洋建築で壁の一部に造られた窪みを指し、「床の間」の訳としてよく用いられます。

15. 部屋は、襖と呼ばれる紙でできたスライド式の扉で分割されています。

16. 襖は、しばしば、描画で装飾されています。

17. 家の内部は、すべての部屋を結ぶ廊下で囲まれています。

18. 廊下の一部は、ベランダのように、庭に面しています。

19. 部屋は、廊下から障子と呼ばれる紙でできたスライド式の扉で分けられています。

20. 障子に使われている紙は、薄くて半透明です。

21. 障子は、外から太陽光を内部に入れることができます。

22. 和紙は、湿気を吸収できます。

23. 障子や襖は、部屋の湿度を調整するのに役立ちます。

24. 和室は、多機能的です。

25. 布団を床に敷けば、その部屋は寝室として使えます。

26. 布団は、敷布団、敷布、毛布、掛布団、枕からなる寝具の一式です。

27. 布団は畳んで、押し入れと呼ばれる和室に作り付けの収納場所にしまうことができます。

28. 移動用のちゃぶ台を持ち込むと、その部屋は、食堂として使えます。

29. 旅館では、伝統的な日本家屋の雰囲気を味わうことができます。

30. 日本家屋は、暑くて湿度の高い夏を想定して、風通しが良いように作られています。

15. Rooms are divided by paper sliding doors called fusuma.

16. Fusuma are often decorated with painted designs.

17. The inner part of the house is surrounded by a corridor connecting all of the rooms.

18. A part of the corridor faces the garden like a veranda.

19. The rooms are separated from the corridor by paper sliding screens called shoji.

20. The paper used for shoji is thinner and translucent.

21. The shoji can let in the sunlight from outside.

22. Japanese paper can absorb moisture.

23. Shoji and fusuma help adjust the humidity in the rooms.

24. Traditional Japanese rooms are multi-functional.

25. By spreading futon on the floor, the room can be used as a bed room.

26. Futon are sets of bedding consisting of a mat, a sheet, a blanket, a quilt and a pillow.

27. Futon sets can be folded and stored in the built-in closets in Japanese rooms called oshiire.

28. By bringing in a portable, low dining table, the room can be used as a dining room.

29. At ryokan, you can enjoy the atmosphere of traditional Japanese houses.

30. Japanese houses are made airy with hot and humid summers in mind.

31. そのため、日本家屋は冬にはかなり寒いです。

32. 冬には、炬燵（こたつ）と呼ばれる暖房器具を使う人もいます。

33. 炬燵は、低いテーブルで、下部に電気ヒーターが取り付けられています。

34. 炬燵は、内部を温かく保つために、布団で覆われています。

35. 布団の上には、天板を載せます。

36. 夏には、布団を使わずに、ちゃぶ台として使うことができます。

37. 伝統的な日本家屋は、少なくなってきています。

◆現代住宅 Ch11-02

38. 近代的な住宅やマンションは、ほとんど西洋化しています。

39. ほとんどの部屋が、西洋の部屋のように木の床です。

40. テーブル、椅子、ソファーなどが使われます。

41. 西洋風の住居であっても、玄関で靴を脱ぎます。

42. 家の中では、屋内用のスリッパを使う人もいます。

43. 多くの近代的な住宅やマンションは、床暖房システムを備えています。

44. そのため、冬でも屋内は裸足でいても快適です。

31. Because of this, they are rather cold during winter.

32. During winter, some people use heating devices called kotatsu.

33. Kotatsu are low tables with an electric heater attached underneath.

34. It is covered with a quilt to keep the inside warm.

35. A tabletop is placed on top of the quilt.

36. In summer, it can be used as a low table without the quilt.

37. The number of traditional Japanese houses is decreasing.

38. Modern houses and condominiums are mostly Westernized.[※38]

39. Most rooms have wooden floors like Western rooms.

40. People use tables, chairs and sofas.

41. Even in Western-style residences, people take their shoes off at the genkan.

42. Some people use indoor slippers inside the house.

43. Many modern houses and condominiums have floor heating systems.

44. So, even in winter, it's comfortable being barefoot indoors.

※38：mansionは「大邸宅」を意味します。日本語で言うマンション（集合住宅）は、米国では個人所有の場合、condominium（口語でcondo）、賃貸の場合はapartment、英国では、個人所有・賃貸ともにflatと呼ばれます。

◆古民家 Ch11-03

45. 田舎にある古民家には、茅葺の屋根があります。

46. 茅葺の屋根は、家の内部を温かく保つことができます。

47. 茅葺屋根は、約20年ごとに葺き替えが必要です。

48. 茅葺の材料は、簡単に手に入ります。

49. しかし、茅葺の作業はたくさんの人手を必要とします。

50. 村人は、結（ゆい）と呼ばれるグループを作り、お互いの家の葺き替えを手伝います。

51. 古民家には、広い板の間の居住空間があります。

52. 居住空間の中央には、四角い窪んだ囲炉裏があります。

53. 囲炉裏は、暖房や食べ物の煮炊きに用いられます。

54. 古民家は、珍しくなってきています。

55. しかし、観光地では、そのような家が観光目玉として保存されています。

56. それらは、宿やレストランとして使用されています。

◆日本の城 Ch11-04

57. 日本の都道府県庁所在地の多くは、もともとは城下町として発達しました。

45. Traditional folk houses in the countryside have thatched roofs.

46. Thatched roofs can keep the inside of the house warm.

47. Thatched roofs need re-thatching about every 20 years.

48. Thatching material can be easily found.

49. But roofing work is labor-intensive.

50. Villagers form groups called yui to help re-thatch each other's houses.

51. Traditional folk houses have large wooden-floor living spaces.

52. In the center of these living spaces, there is a sunken square hearth.

53. The hearth is used for heating and cooking food.

54. Traditional folk houses are becoming rare.

55. But in tourist spots, such houses are preserved as tourist attractions.

56. They are used as inns and restaurants.

57. Many of Japan's prefectural seats first developed as castle towns.※57

※57：prefectureは、日本語の「都道府県」を意味します。prefecturalはその形容詞形で、seatは「本拠地」の意味です。なお、都道府県名を固有名詞として表記する場合、府県（大阪府と京都府、ならびに43県）は、PrefectureをつけてFukuoka Prefecture（福岡県）、Osaka Prefecture（大阪府）などと呼びますが、北海道は、「道」にprefectureの意味が含まれているため、単にHokkaido、東京都は、日本の首都の意味を込めて、Tokyo Metropolisが英語の正式呼称とされています。

58. 創建当時の城を保存してきたところもあります。

59. これらの創建当時の城は、約400年前に築かれました。

60. 創建当時の城の多くは、明治時代初期に解体されました。

61. 中には、太平洋戦争中に、米国の爆撃によって破壊されたものもあります。

62. 多くの市が、観光目玉として城を再建しました。

63. 再建された城は、資料館や展望所として使われています。

64. 日本の城は、堀に囲まれた巨大な石垣によって特徴づけられています。

65. 木材と漆喰で作られた櫓（やぐら）が、石垣の上に築かれています。

66. 中心となる櫓は、天守閣と呼ばれます。

67. 西洋の城は、しばしば、石で建造されています。

68. しかし日本では、湿度が高いため、石造の家は適していません。

69. 木造の建築物は、戦争のときに、火事で破壊される可能性があります。

70. そのため、壁は、耐火性を持たせるために漆喰で作られています。

71. 創建当時の天守閣を持つ城には、松本城、姫路城、犬山城、松江城、彦根城があります。

72. それらはすべて、国宝に指定されています。

58. Some have preserved their original castles.

59. These original castles were built about 400 years ago.

60. Many of the original castles were demolished in the early Meiji Period.

61. Some of them were destroyed by U.S. air raids during the Pacific War.

62. Many cities have restored the castle as tourist attractions.

63. Reconstructed castles are used as museums or observation platforms.

64. Japanese castles are characterized by their huge stonewalls surrounded by moats.

65. Towers made of wood and plaster are built on the stonewalls.

66. The main tower, or donjon, is called tenshu-kaku.[※66]

67. European castles are often made of stone.

68. But in Japan, stone houses are unsuitable for the high humidity.

69. Wooden structures can be destroyed by fire in times of war.

70. So, walls are made using plaster to make them fire-resistant.

71. Castles having original donjons include Matsumoto Castle, Himeji Castle, Inuyama Castle, Matsue Castle and Hikone Castle.

72. They are all designated as National Treasures.

※66：「櫓」はtowerと訳されます。その中で、中心的存在を「天守閣」と呼びますが、英語では、the main tower、あるいは、donjonと訳されます。

◆屋根の種類 Ch11-05

73. 瓦葺の屋根は、もともと大寺院に使われていました。

74. 熟練した瓦師を抱えていることは、大寺院の特権でした。

75. 瓦葺の屋根は、寺院の権力の象徴でした。

76. 日本には、梅雨と台風の季節があります。

77. 瓦葺の屋根は、大雨に耐えることができます。

78. 日本では、地震が頻繁に起きます。

79. 大きな地震が起こった時、瓦は落ちるように設計されていました。

80. その設計は、建物の崩壊を防ぐのに役立ちました。

81. 16世紀に、戦国大名は自分の城を築き始めました。

82. 戦国大名が築いた城には、重厚な瓦葺の屋根がありました。

83. 江戸時代には、江戸の町は、何度も火事による被害を受けました。

84. 瓦には、耐火性があります。

85. 政府は、火事が建物から建物へ延焼するのを防ぐために、瓦葺の屋根を推奨しました。

86. 18世紀には、家屋に瓦葺の屋根を用いることが普通になりました。

87. 漆喰の壁と瓦屋根を持つ倉庫が造られました。それらは蔵と呼ばれます。

88. そのような蔵は、火事に耐えることができました。

73. Tiled roofs were originally used for big temples.

74. Keeping skilled tile craftsmen was a privilege of great temples.

75. The tile roofs were a symbol of the temples' power.

76. Japan has both rainy and typhoon seasons.

77. Tiled roofs can withstand heavy rain.

78. Japan has many earthquakes.

79. The tiles were designed to fall off in the event of a big earthquake.

80. Such a design helped prevent structures from collapsing.※80

81. In the 16th century, warlords started building their own castles.

82. Castles built by warlords had massive tile roofs.

83. During the Edo period, the town of Edo suffered from many fires.

84. The tiles are fire-resistant.

85. The government recommended tiled roofs to prevent fires from spreading from one building to another.

86. In the 18th century, the use of tile roofs for houses became common.

87. Storehouses having plaster walls and tiled roofs were built. These are called kura.

88. Such kura were able to withstand fire.

※80：現在では、建築基準法で、瓦が落ちないように固定することが求められています。

89. 他の種類の屋根に、檜皮葺（ひわだぶき）とこけら葺（ぶき）があります。

90. いずれも、古い社寺の建造物によく使われています。

91. 檜皮葺には、小さくて薄いヒノキの樹皮片が使われます。

92. こけら葺には、ヒノキやスギなどの小さくて薄い木片が使われます。

93. これらは重ねて、竹釘で固定されます。

94. 見た目の美しさが、両方の形式の屋根の最大の長所です。

95. いずれの形式の屋根も、通常、約20年ごとに葺き替えられます。

96. そのため、いずれもとても高価です。

97. 「こけら」は、木片を意味します。

98. 新しい劇場における最初の公演は、こけら落（おと）しと呼ばれます。

99. こけら落しは、屋根の余分な木片を払い落とすことを意味します。

100. この言葉は、新しい劇場の完成を象徴しています。

89. Other types of roofing include hiwada-buki and kokera-buki.

90. Both are often used for buildings in old temples and shrines.

91. For hiwada-buki, small, thin pieces of cypress bark are used.

92. For kokera-buki, small, thin pieces of timber such as cypress and cedar are used.

93. They are stacked and fixed in place with bamboo nails.

94. Their beautiful appearance is the biggest merit of both types of roofing.

95. Both types of roofs are usually replaced around every 20 years.

96. Because of this, they are very costly.

97. "Kokera" means wooden strips.

98. The first performance given at a new theater is called kokera-otoshi.

99. Kokera-otoshi means sweeping excess wooden strips off of the roof.

100. The term symbolizes the completion of a new theater.

Chapter 12 着物・小物

◆着物の歴史 Ch12-01

1. 着物は、伝統的な日本の衣服です。
2. 着物の文字通りの意味は、着る物全般です。
3. 今日では、着物は、伝統的な衣服のひとつである長着を指します。
4. 長着は、小袖(こそで)から発達しました。
5. 小袖は、もともと、古代に貴族が使っていた下着です。
6. 中世には、小袖は、武士が用いる外着に発達しました。
7. 戦国時代には、小袖は華美になりました。
8. 小袖は、袖が短く、裾が広くて短い作りになっています。
9. 当時の人々は、胡坐(あぐら)か片膝立で座っていました。
10. そのような座り方ができるように、裾が広く作られていました。
11. 16世紀末に、茶道が人気になりました。
12. 茶道では、正座が使われるようになりました。
13. 正座は、自分の踵(かかと)の上に座るものです。

1. Kimono are a form of traditional Japanese clothing.
2. Kimono literally means clothing in general.
3. Today, kimono refers to nagagi, a specific kind of traditional clothing.
4. Nagagi developed from kosode.
5. Kosode was originally underwear used by aristocrats in ancient times.
6. In the Middle Ages, it developed into outerwear used by samurai warriors.
7. In the Warring States Period, kosode became decorative.
8. Kosode has short sleeves with a wider and shorter bottom part.
9. People in those days sat with their legs crossed in front of them or with one knee up.
10. The bottom part was made wider in order to allow for such sitting postures.
11. In the late 16th century, the tea ceremony became popular.
12. In the tea ceremony, the seiza style of sitting came to be used.
13. Seiza is to sit on one's heels.

14. 正座は、目の前の人に敬意を表す方法となりました。

15. 小袖の裾は、正座に合うように、細く長くなりました。

16. このようにして、小袖は、長着へと発達していきました。

17. 17世紀までは、帯は、現在のものよりも細くなっていました。

18. 帯は、前や脇で結ぶのが普通でした。

19. 帯は、幅が広くなり、より装飾的になりました。

20. 帯の結び目は大きくなり、背後で結ばれるようになりました。

◆着物の種類 Ch12-02

21. 着物には単衣(ひとえ)と袷(あわせ)があります。

22. 単衣は、裏地がありません。単衣は夏用です。

23. 袷は、裏地があります。袷は冬用です。

24. 正式な着物は、絹でできています。

25. 普段着用の着物は、木綿でできています。

26. 着物には、様々な文様が描かれています。

27. 文様には、色糸を織って作るものがあります。

28. この種類の典型的な例は、西陣織です。

29. 織物を染めて作られた文様もあります。

30. この種類の典型的な例は、友禅染(ゆうぜんぞめ)です。

14. Seiza became a way to show respect to the person in front of you.

15. The bottom part of kosode became narrower and longer to better suit seiza.

16. In this way, kosode developed into the nagagi.

17. Up until the 17th century, the obi sash was narrower.

18. It was usually tied in the front or at the side.

19. The obi became wider and more decorative.

20. The knot became bigger and came to be tied in the back.

21. There are single-layer kimono called hitoe and double-layer kimono called awase.

22. Hitoe have no lining. They are for summer use.

23. Awase have a layer of lining. They are for winter use.

24. Formal kimono are made of silk.

25. Casual kimono are made of cotton.

26. Various designs are depicted on kimono.

27. Some designs are made by weaving colored threads into the fabric.

28. A typical example of this type is Nishijin-ori.

29. Other designs are made by dyeing the woven fabric.

30. A typical example of this type is Yuzen-zome.

31. 文様は、普通、季節を象徴するものが描いてあります。

32. たとえば、桜の花は、春の象徴です。

33. トンボや朝顔は、夏の象徴です。

34. 紅葉は、秋の象徴です。

35. 今の季節にふさわしい文様の着物を着ます。

36. また、自分の年齢に合った色や文様を選びます。

37. 若い女性は、色彩豊かで装飾的な文様を好みます。

38. 振袖は、若い女性の象徴です。

39. 振袖には、長く垂れさがった袖があります。

40. 振袖は、主に、若い、未婚の女性が着ます。

41. 年上の女性は、地味な色合いや目立たない文様を好みます。

42. 女性用の着物は、裾が余分に長くなっています。

43. 余分な長さの部分は、腰のところでたくし上げて調整できます。

44. 帯の下にたくし上げた部分は、おはしょりと呼ばれます。

45. 男性用の着物は、着る人の背丈に合うように仕立ててあります。

46. ですから、男性用の着物におはしょりはありません。

47. 正式な着物を着るときは、襦袢(じゅばん)と呼ばれる下着を下に着ます。

48. 正式な着物を着るときは、通常、足袋と草履を履きます。

49. 女性の着物は、着付けに時間がかかります。

31. Designs usually depict seasonal symbols.

32. For example, cherry blossoms are a symbol of spring.

33. Dragonflies and morning glories are symbols of summer.

34. Colored leaves are a symbol of autumn.

35. People wear kimono with designs fitting for the current season.

36. People also choose colors and designs suitable for their age.

37. Younger women prefer colorful and decorative designs.

38. Furisode are a symbol of young ladies.

39. Furisode have long, dangling sleeves.

40. They are worn mostly by young, unmarried women.

41. Older women prefer subdued colors and less conspicuous designs.

42. The bottom part of women's kimono is made extra-long.

43. Extra length can be adjusted by tucking up the kimono at the waist.

44. The part tucked under the obi sash is called ohashori.

45. Men's kimono are tailored to the height of the wearer.

46. So, there's no ohashori in men's kimono.

47. When wearing formal kimono, underwear called juban are worn underneath.

48. When wearing formal kimono, tabi socks and zori sandals are usually worn.

49. It takes time to put on a women's kimono.

50. 専門の教室に通って、着付けの仕方を学ぶ人もいます。

◆着物の人気 Ch12-03

51. 第二次世界大戦後、着物を着ることは少なくなりました。

52. 日本人は、洋服を好むようになりました。

53. 洋服は、着物よりも安く、動きやすいです。

54. 着物の礼儀作法は、複雑です。

55. その結果、着物は、特別な行事においてしか着られなくなりました。

56. それらの行事には、卒業式、正月、結婚式などがあります。

57. 茶道や華道の稽古のときに、着物を着る人もいます。

58. ところが、今日では、着物の人気が高まってきています。

59. 一部の理由は、日本文化の人気が海外で高くなったことです。

60. 今日では、安価な着物も入手できます。

61. 古着の着物市場も、盛況です。

62. 新しい着物には、合成繊維を使ったものもあります。

63. ポリエステル製の着物は、安価です。

64. ポリエステル製の着物は、手入れが簡単です。

65. そうした着物は、家庭で、洗濯機を使って洗うことができます。

50. Some people learn how to put on kimono by going to a special school.

51. After World War II, the use of kimono declined.

52. The Japanese began to prefer Western clothes.

53. Western clothes are less expensive and easier to move in.

54. The etiquette for kimono is complicated.

55. As a result, kimono came to be worn on only special occasions.

56. These include graduation ceremonies, the New Year and weddings.

57. Some people wear them when practicing the tea ceremony and flower arrangement.

58. These days, however, the popularity of kimono is increasing.

59. This is partly because of the increased popularity of Japanese culture overseas.

60. Today, less expensive kimono are available.

61. The secondhand kimono market is also thriving.

62. Some modern kimono use synthetic fibers.

63. Kimono made of polyester are inexpensive.

64. Polyester kimono are easy to maintain.

65. They can be washed at home in washing machines.

◆浴衣 Ch12-04

66. 正式な着物とともに、浴衣も一段と人気が出てきています。

67. 浴衣は、木綿製の簡素な着物です。

68. 浴衣は、夏の普段着です。

69. 浴衣の起源は、古代に使われたバスローブの一種です。

70. 当時、日本人は蒸し風呂を使っていました。

71. 浴衣は、やけどを避けるために着られました。

72. 今日、浴衣は、夜着や外着のいずれにも使われています。

73. 夜着の浴衣は、しばしば、旅館で客が使用するために提供されます。

74. 女性用の外着の浴衣は、彩りが豊かです。

75. 浴衣は、夏祭りや、夏の花火大会などに着ていくことがよくあります。

76. 浴衣は、身体にゆったりとまとうため、涼しいです。

77. 浴衣には、基本的に下着は必要ありません。

78. 女性の場合は、しばしば、専用の肌着を着ます。

79. 浴衣を着るときは、下駄と呼ばれる木製のサンダルをよく履きます。

80. 下駄は、V字型の鼻緒があり、足袋を履かずに着用します。

66. Along with formal kimono, yukata are also getting more popular.

67. Yukata are light cotton kimono.

68. Yukata are casual summer wear.

69. The origin of yukata is a kind of bathrobe used in ancient times.

70. In those days, the Japanese used steam baths.

71. Yukata were worn to avoid getting scalded.

72. Today, yukata are used both as nightwear and outerwear.

73. Nightwear yukata are often offered at ryokan for use by guests.

74. Outerwear yukata for women are colorful.

75. People often wear yukata for summer festivals and fireworks displays in summer.

76. Yukata fit loosely on the body, so they are cool.

77. For yukata, underwear is basically not needed.

78. Women often wear a special kind of underwear.

79. When wearing yukata, wooden sandals called geta are often worn.

80. Geta have a V-shaped strap, and are worn without socks.[※80]

※80：下駄などの履物は、複数形で扱いますが、それぞれに鼻緒は1つしかありませんので、a V-shaped strapは単数にしてあります。

81. 下駄には、底に２つの歯が付いたものがあります。

82. そのような下駄は、ぬかるんだ道を歩きやすくするために発達しました。

◆その他の伝統的衣類および小物 Ch12-05

83. 羽織袴の一式は、男性の伝統的な正装です。

84. 羽織は、着物の上に着るジャケットの一種です。

85. 袴（はかま）は、ひだの付いた、ゆったりとしたズボンです。

86. 半被は、伝統的な日本の職人のジャケットです。

87. 半被には、しばしば、着ている人の家紋、店の名前、住む町の名称などが描かれています。

88. 半被は、しばしば、大工や庭師が着ます。

89. 半被は、祭りのときに、参加者が着たりもします。

90. 鉢巻きは、木綿製の伝統的な日本のヘッドバンドです。

91. 鉢巻きは、祭りで、気分の高まりを示すために使います。

92. 扇子は、折り畳み式のうちわです。

93. 扇子は、日本の発明品です。

94. 扇子は、涼を取るための道具として使われます。

95. 扇子はまた、装飾品としても用いられます。

81. Some geta have two supporting pieces under the base. ※81

82. Such geta developed to make it easier to walk on muddy roads.

83. A set of haori and hakama is traditional formal wear for men.

84. Haori are a kind of jacket worn over kimono.

85. Hakama are pleated, loose-fitting trousers.

86. Happi are traditional Japanese workman's jackets.

87. They often bear the wearer's family crest, shop name or community name.

88. They are often worn by carpenters and gardeners.

89. They are also worn at festivals by participants.

90. Hachimaki are traditional Japanese cotton headbands.

91. They are worn during festivals to show the wearers' heightened spirits.

92. Sensu are folding fans.

93. Sensu are a Japanese invention.

94. They are used as a tool to cool oneself.

95. They are also used as a decorative object.

※81：主語は複数形の下駄ですが、それぞれに歯が2本ずつあることを明確にするために、baseは単数にしてあります。

96. 風呂敷は、装飾的な四角い布です。

97. 風呂敷は、物を包んだり、持ち運んだりするのに使われます。

98. 手拭は、伝統的な日本のハンカチです。

99. 手拭は、木綿でできています。

100. 手拭には、様々な伝統的な文様が描かれています。

96. Furoshiki are square decorative cloths.

97. Furoshiki are used to wrap or carry items.

98. Tenugui are traditional Japanese handkerchiefs.

99. Tenugui are made of cotton.

100. Tenugui bear various traditional designs.

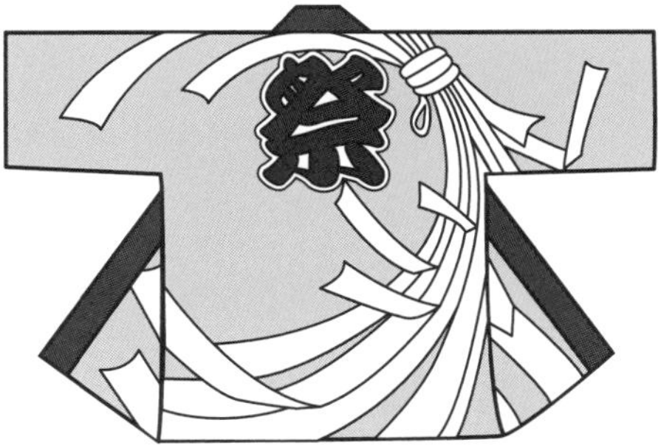

Chapter 13 伝統演劇

◆能楽 Ch13-01

1. 能と狂言は、古典的な日本の舞台芸能の形式です。
2. 能と狂言はともに、14世紀に発達しました。
3. 能と狂言は、武士の間で人気になりました。
4. 能と狂言は、あわせて、能楽と呼ばれています。
5. 能楽は、無形文化遺産に登録されています。
6. 能の出し物は、舞、謡（うたい）、囃子に基づいています。
7. 多くの能の出し物は、精神世界を扱います。
8. 能の出し物における主役は、シテと呼ばれます。
9. シテは、豪華な衣装をまとっています。
10. シテは、主役の役柄を演じるために、面を付けます。
11. 主役の役柄は、通常、超自然的な存在です。
12. それらには、神、霊、邪気などが含まれます。
13. シテは、精神世界からの象徴的なメッセージを伝えます。
14. 能の出し物における共演者は、ワキと呼ばれます。
15. ワキは、人間の役柄を演じます。

1. Noh and Kyogen are classical forms of Japanese stage art.※1
2. They developed together in the 14th century.
3. They became popular among the samurai.
4. They are collectively called Noh-gaku.
5. Noh-gaku is registered as an Intangible Cultural Heritage.※5
6. Noh plays are based on dancing, singing and music.
7. Many Noh plays deal with the spiritual world.
8. The main actors of Noh plays are called shite.
9. The shite dress in gorgeous costumes.
10. The shite wear masks to play the roles of the main characters.
11. The main characters are usually supernatural beings.
12. These include deities, ghosts and evil spirits.
13. The shite deliver symbolic messages from the spiritual world.
14. The side actors of Noh plays are called waki.
15. The waki play the roles of human beings.

※1：「能」を英語で音写する場合、Noとすると読み手に混乱を与えるため、通常、Nohと綴られます。
※5：次に説明する、人形浄瑠璃文楽および歌舞伎も無形文化遺産に登録されています。

16. ワキは、シテから精神的なメッセージを受け取ります。

17. 能の役者の動きは、象徴的で型に沿っています。

18. 彼らは、独特の、低くて単調な声で話したり謡ったりします。

19. 地謡（じうたい）と囃子方（はやしがた）が、役者の伴奏をします。

20. 囃子方には、打楽器と笛の奏者がいます。

21. 音楽の伴奏は、能の神秘的な雰囲気を高める役割を果たします。

22. 能は、特殊な劇場で行われます。

23. 能の舞台には、廊下や屋根があります。

24. 能はまた、屋外で夜に行われることもしばしばあります。

25. 夜に行われるものは、薪能（たきぎのう）と呼ばれます。

26. 狂言は、滑稽な内容の演劇です。

27. 多くの狂言の出し物は、人間の感情をユーモラスに表現します。

28. 狂言の物語は、しばしば、皮肉的で風刺的です。

29. 狂言の演じ方もまた、象徴的で型に沿っています。

30. 能と狂言は、しばしば、一緒に演じられます。

31. 狂言師は、能の出し物の多くにおいて、幕間でも登場します。

32. 彼らは、物語の背景を説明する役割を果たします。

16. The waki receive spiritual messages from the shite.

17. The movements of Noh actors are symbolic and stylized.

18. They speak and sing in a unique low, monotonous voice.

19. The actors are accompanied by a chorus and musicians. ※19

20. The musicians include drum and flute players. ※20

21. The musical accompaniment helps increase the mystical atmosphere of Noh.

22. Noh is performed in special theaters.

23. Noh stages have corridors and roofs. ※23

24. Noh is also often performed outdoors at night.

25. Night plays are called takigi-Noh, or torchlight Noh.

26. Kyogen are comical dramas.

27. Many Kyogen plays humorously express human emotions.

28. The stories are often ironical and satirical.

29. The acting style used in Kyogen is also symbolic and stylized.

30. Noh and Kyogen are often performed together.

31. Kyogen performers also appear in many Noh plays during the interlude.

32. They play the role of explaining the background of the story.

※19：ここでは、日本語を「伴奏する」としてありますが、本来、日本語の「伴奏」は楽器によるものを指します。一方、英語のaccompanyは歌によるサポートも含みます。なお、ここでのa chorusは歌を歌うグループを指し、能では「地謡」（じうたい）と呼ばれます。
※20：能で用いられる打楽器には、小鼓、大鼓、太鼓があります。
※23：廊下は、「橋掛かり」と呼ばれ、シテの入退場に使われます。

33. そのような場面は、間狂言（あいきょうげん）と呼ばれます。

34. それに対し、独立した狂言の出し物は、本狂言と呼ばれます。

◆人形浄瑠璃文楽 Ch13-02

35. 人形浄瑠璃文楽は、伝統的な日本の人形劇です。

36. 人形浄瑠璃文楽は、しばしば、単に、人形浄瑠璃とも文楽とも呼ばれます。

37. 人形は操り人形を指し、浄瑠璃は伴奏の音楽を指します。

38. 文楽という名称は、１９世紀初期に大坂に開かれた芝居小屋の名前に由来します。

39. 人形は、３人の人形遣いによって背後から操られます。

40. 主遣い（おもづかい）は、頭と右手を操ります。

41. ２番目の人形遣いは、左手を操ります。

42. ３番目の人形遣いは、足を操ります。

43. 女性の人形には、足はありません。

33. Such scenes are called Ai-Kyogen.

34. In contrast, independent Kyogen plays are called Honkyogen.

35. Ningyo joruri bunraku is traditional Japanese puppet theater.※35

36. It is often simply called either Ningyo joruri or Bunraku.

37. Ningyo refers to puppets and Joruri refers to the accompaniment music.

38. The name Bunraku derives from the name of the theater opened in Osaka in the early 19th century.

39. The puppets are manipulated from behind by three puppeteers.

40. The main puppeteer manipulates the head and the right hand.

41. The second puppeteer manipulates the left hand.※41

42. The third puppeteer manipulates the legs.※42

43. Female puppets don't have legs.※43

※35：「人形浄瑠璃」はこの種類の芸能の一般名称で、「文楽」は19世紀初期に大坂に植村文楽軒が開いた人形浄瑠璃の芝居小屋「文楽座」に由来します。明治以降は、文楽座が唯一の興行団体になったため、「文楽」と呼ばれるようになりました。なお、無形文化遺産に登録されている正式名称は、「人形浄瑠璃文楽」です。

※41：「左遣い」と呼ばれます。

※42：「足遣い」と呼ばれます。

※43：例外もあります。「曽根崎心中」のヒロインのお初には足があります。

44. そのため、着物を動かして、足の動きを演じます。

45. 浄瑠璃は、語り手と三味線奏者の２人で演じます。

46. 語り手は、太夫（たゆう）と呼ばれます。彼は、語りと台詞（せりふ）のすべてを口演します。

47. 三味線奏者は、効果音を含め、音楽の伴奏を担当します。

48. 文楽には、２種類の物語があります。

49. 時代物は、伝説上の英雄や武士を扱います。

50. 世話物は、江戸時代の庶民の生活を扱います。

51. 人形浄瑠璃は、17世紀に庶民の間で人気になりました。

52. 竹本義太夫という名の太夫は、大坂に竹本座と呼ばれる芝居小屋を開きました。

53. 彼の語りの様式は、革新的で、とても人気になりました。

54. 彼は、近松門左衛門という名の劇作家と組んで仕事をしました。

55. 近松は、最初の世話物を書きました。『曽根崎心中』という題です。

56. この物語は、禁じられた恋愛のために、心中をした男女に関するものです。

44. So, their leg movements are expressed by moving the puppet's kimono.

45. Joruri is performed by a duo of a narrator and a shamisen player. ※45

46. The narrator is called a Tayu. He delivers the narration and all of the dialogue.

47. The shamisen player provides musical accompaniment including sound effects.

48. There are two types of Bunraku stories.

49. Jidaimono deal with legendary heroes and samurai.

50. Sewamono deal with the lives of the commoners during the Edo Period.

51. Ningyo joruri became popular among the commoners in the 17th century.

52. One Tayu named Takemoto Gidayu opened a theater called the Takemoto-za in Osaka.

53. His narration style was innovative and became very popular.

54. He collaborated with a playwright named Chikamatsu Monzaemon. ※54

55. Chikamatsu wrote the first sewamono story. It was titled *Sonezaki Shinju, The Love Suicides at Sonezaki.*

56. The story is about a couple committing double suicide over their forbidden love.

※45：語り手は「太夫」、三味線奏者は「三味線」と呼ばれます。なお、複数の語り手と三味線奏者が一緒に登場する場合もあります。

※54：文楽や歌舞伎の劇作家は、「狂言作者」と呼ばれます。

57. この物語は、実際の事件に基づいていました。

58. 当時の庶民は、この物語にとても感動しました。

59. 多くの男女が、この物語の影響を受けて、心中をしました。

60. 結果的に、江戸幕府は、この類いの上演を禁止しました。

61. 『曽根崎心中』が再び上演されたのは、第二次世界大戦後になってからでした。

◆歌舞伎 Ch13-03

62. 歌舞伎は、伝統的な日本の舞台演劇です。

63. 歌舞伎は、17世紀に庶民の間で人気になりました。

64. 歌舞伎は、阿国(おくに)という名の巫女(みこ)によって創始されました。

65. 彼女は、阿国歌舞伎と呼ばれる、女性の舞踊公演の形式を創始しました。

66. 阿国歌舞伎は、17世紀初期に京都で大人気になりました。

67. すぐに、多くの遊女が公演に加わるようになりました。

68. 江戸幕府は、公共モラルの低下を心配しました。

69. そこで、幕府は、女性が舞台で上演することを禁止しました。

70. 阿国歌舞伎は、若衆(わかしゅ)歌舞伎に取って代わられました。

57. It was based on a true incident.

58. The commoners of the time were moved by the story very much.

59. Many couples were influenced by the story to commit love suicides.

60. As a result, the Tokugawa Shogunate banned the performance of similar plays.

61. The play Sonezaki Shinju was revived only after World War II.

62. Kabuki is a form of traditional Japanese stage drama.

63. Kabuki became popular among the commoners in the 17th century.

64. Kabuki was originated by a shrine maiden named Okuni.

65. She created a form of female dance performance called Okuni Kabuki.

66. It became very popular in Kyoto in the early 17th century.

67. Soon, many prostitutes started to join the performances.

68. The Tokugawa Shogunate worried about a decline in public morals.

69. So, it banned women from performing on stage.

70. Okuni Kabuki was replaced by Wakashu Kabuki.

71. 若衆歌舞伎は、若い男子が行う舞踊公演でした。

72. 若衆歌舞伎も、後に幕府に禁じられました。

73. 若衆歌舞伎は、野郎歌舞伎に取って代わられました。

74. 野郎歌舞伎は、大人の男性役者が演じる、劇と舞踊の組み合わせでした。

75. やがて、一部の役者が女性の役割を演じ始めました。

76. 彼らは、女形（おんながた）と呼ばれます。

77. 女形が生まれたことで、野郎歌舞伎は、今日知られる歌舞伎に発展しました。

78. 女形がいることで、歌舞伎は、どのような登場人物でも扱うことができるようになりました。

79. 歌舞伎の作者は、新しい作品を作り始めました。

80. 歌舞伎には、文楽の物語も取り入れられました。

81. 歌舞伎の物語には、基本的に２種類あります。

82. 和事（わごと）は、庶民の恋愛物語を扱います。

83. 荒事（あらごと）は、武士や鬼神などを中心にした武勇伝を扱います。

84. 歌舞伎役者は、誇張された化粧やポーズを用います。

85. その化粧は、隈取（くまどり）と呼ばれます。

86. 隈取は、登場人物の性格を示しています。

87. 誇張されたポーズは、見栄（みえ）と呼ばれます。

88. 見栄は、重要なシーンを目立たせるために使われます。

89. 見栄は、拡大撮影のような効果を生み出すことができます。

71. Wakashu Kabuki was a dance performance done by young boys.

72. Wakashu Kabuki was also later banned by the Shogunate.

73. Wakashu Kabuki was replaced by Yaro Kabuki.

74. Yaro Kabuki was a combination of drama and dance performed by adult actors.

75. Soon, some actors started taking on female roles.

76. They are called Onnagata.

77. With the creation of Onnagata, Yaro Kabuki developed into Kabuki as we know it today.

78. With Onnagata, Kabuki was now able to present any kind of character.

79. Kabuki playwrights started to create new stories.

80. Kabuki also imported Bunraku stories.

81. There are two basic types of Kabuki stories.

82. Wagoto deal with the romance stories of the commoners.

83. Aragoto deal with heroic stories featuring samurai and evil spirits.

84. The actors use exaggerated makeup and poses.

85. The makeup is called kumadori.

86. Kumadori indicates the nature of the character.

87. The exaggerated poses are called mie.

88. They are used to highlight important scenes.

89. They help create a kind of enlarging effect.

90. 歌舞伎の出し物は、様々な種類の伝統音楽の伴奏が付きます。

91. 歌舞伎の音楽に使われる楽器には、打楽器、管楽器、弦楽器などがあります。

92. 歌舞伎の劇場には、様々な装置が備え付けてあります。

93. 回り舞台は、舞台場面を素早く変えることができます。

94. 迫（せり）は、舞台のエレベーターです。

95. 舞台の脇には、花道と呼ばれる張り出した廊下があります。

96. 花道は、観客席を貫いています。

97. 花道は、役者が登場・退場するのに使います。

98. 歌舞伎は、多くの近代的な要素を取り入れながら進化し続けています。

99. 歌舞伎は、海外公演も大成功させてきました。

100. 歌舞伎役者には、テレビや映画の俳優として有名な人もいます。

90. Kabuki plays are accompanied by various types of traditional music.

91. Musical instruments used in Kabuki music include percussion instruments, as well as wind and string instruments.

92. Kabuki theaters have various devices built into them.

93. A mawari butai, or a revolving stage, enables quick scene changes.

94. A seri is a stage elevator.

95. To the side of the stage, there's an extended walkway called a hanamichi.

96. The hanamichi goes through the audience's seating area.

97. It is used by the actors as an entrance and an exit.

98. Kabuki continues to evolve, incorporating many modern elements.

99. Kabuki has been very successful in overseas performances as well.

100. Some kabuki actors are also popular as TV and movie stars.

Chapter 14 伝統芸能とポップカル

◆落語 Ch14-01

1. 落語は、滑稽な話を語る芸能です。
2. 落語は、一人の落語家が独演します。
3. 落語家は、着物を着て落語を上演します。
4. 落語家は、ステージの上の座布団に座って演じます。
5. 落語家は、様々な声色や身振りを使い、話に出てくるすべての登場人物の会話を語ります。
6. 落語家は、小道具として、扇子と手拭のみを使います。
7. これらの小道具は、箸や筆や帳面などを模倣するために使われます。
8. 古典落語の物語は、19世紀に作られました。
9. 古典落語の物語は、当時の庶民の日常生活に基づいています。
10. 20世紀以降に、新たに作られた物語もあります。

1. Rakugo is comic storytelling.
2. Rakugo is performed solo by a rakugo-ka.
3. He dresses in kimono to perform rakugo.
4. He performs while sitting on a cushion called zabuton on the stage.
5. He uses different voice tones and gestures to deliver all of the dialogues of the characters in the story.
6. He uses only a sensu and a tenugui as stage props.
7. The props are used to mimic things like chopsticks, brushes, notebooks and so on.
8. Classical rakugo stories were created in the 19th century.※8
9. They are based on the everyday lives of the commoners back then.
10. There are also stories newly created in the 20th century and later.※10

※8：主に、江戸時代～大正時代に作られたものを指します。
※10：「新作落語」と呼ばれます。

◆芸者 Ch14-02

11. 芸者は、伝統的な女性の芸能人です。

12. 芸者は、着物を着ています。

13. 芸者は、独特な白いファンデーションの化粧をしています。

14. 芸者は、また、昔ながらの日本女性の髪形をしています。

15. 芸者は、置屋と呼ばれる芸者の家に所属しています。

16. 芸者は、所属する置屋で芸能の技術を習得します。

17. 芸者は、要請があると、所属する置屋から、料亭と呼ばれるレストランへ派遣されます。

18. そのような料亭は、花街(かがい)と呼ばれる地域によく見られます。

19. 花街は、京都、金沢、東京、その地域に見られます。

20. 芸者は、会話、楽器演奏、舞踊、遊戯などで客を楽しませます。

21. 舞妓は、見習いの芸者です。

22. 舞妓は、袖が長い、振袖と呼ばれる着物を着ています。

11. Geisha are traditional female entertainers.※11

12. They dress in kimono.

13. They use distinctive white foundation makeup.

14. They also wear a traditional Japanese female hairdo.

15. They belong to geisha houses called okiya.

16. They learn the skills of entertainment at their okiya.

17. They are dispatched from their okiya upon request to restaurants called ryotei.※17

18. Such places are often found in areas called kagai.※18

19. Kagai can be found in Kyoto, Kanazawa, Tokyo and other areas.

20. Geisha entertain their guests by talking, playing music, dancing and playing games.

21. Maiko are apprentice geisha.※21

22. Maiko wear a long-sleeved kimono called furisode.

※11：「芸者」は本来、関東で用いられる名称で、関西では「芸妓」(げいこ)と呼ばれます。「芸妓」を「げいぎ」と読むと、関東·関西共通の語となります。
※17：派遣先には、場所のみを提供し、仕出しでまかなう待合(茶屋)もあります。その場合は、restaurantではなく、entertainment spaceなどとするといいでしょう。
※18：花街は「はなまち」とも読まれます。
※21：舞妓は京都の言葉なので、厳密には、芸妓(げいこ)の見習いですが、英語では、混乱を避けるために、広く知られるgeishaとmaikoの名称で説明しています。

◆三味線 Ch14-03

23. 三味線は、ギターに似た、三弦の楽器です。

24. 胴の表面には、動物の皮が張り付けてあります。

25. この皮は、共鳴板として機能します。

26. 三味線の原型は、沖縄の三線(さんしん)です。

27. 三線は、中世に発達しました。

28. 三線は、ニシキヘビの皮を使っています。

29. 三味線は、犬や猫の皮を使っています。

30. 三味線は、ヘラのような形の撥(ばち)で弾きます。

31. 三味線は、伝統的な音楽の伴奏に用いられます。

32. 棹の太さが異なる、様々な三味線があります。

33. 太い棹の三味線は、より力強い音が出ます。

34. 文楽や津軽民謡では、最も太い棹の三味線が使われています。

23. The shamisen is a three-stringed guitar-like instrument.

24. Animal skin is attached to the body surface.

25. The skin functions as a resonator.

26. The original model for the shamisen is the sanshin in Okinawa.

27. The sanshin was developed in the Middle Ages.

28. The sanshin uses python skin.

29. The shamisen uses dog or cat skin. ※29

30. The shamisen is played with a plectrum shaped like a spatula.

31. The shamisen is used for playing accompaniment to traditional music.

32. There are various shamisen with different neck thicknesses.

33. A thicker-necked shamisen creates a more powerful sound.

34. In Bunraku and Tsugaru folk music, shamisen with the thickest neck is used.

※29：最近では犬皮が主流です。他に、山羊皮や合成皮なども使われています。

◆箏 Ch14-04

35. 箏(そう)は、チターの一種です。床の上に水平に置かれます。

36. 箏は、13弦あり、指に付けた爪で弾きます。

37. 左手で弦を曲げることで、その弦の音程を変えることができます。

◆和太鼓 Ch14-05

38. 和太鼓は、伝統的な日本の太鼓です。

39. 和太鼓と撥(ばち)には、様々な大きさがあります。

40. 和太鼓は、祭りや伝統的な舞台芸能でよく使われます。

41. 大太鼓は、台の上に載せられた大型の太鼓です。

42. 大太鼓は、両面から打つことができます。

43. 鼓(つづみ)は、両面の革が紐で結ばれた太鼓の一種です。

44. 鼓は、指先で打ちます。

45. 小鼓は、肩の上に掲げる小型の鼓です。

46. 大鼓は、左膝の上に乗せる大型の鼓です。

35. The sou is a kind of zither. It is placed horizontally on the floor.※35

36. The sou has 13 strings and is played with finger and thumb picks.※36

37. By bending the strings with the left hand, the pitch of the string can be changed.

38. Wadaiko are traditional Japanese drums.

39. Wadaiko and the sticks vary in sizes.

40. Wadaiko are often used in festivals and traditional stage arts.

41. An odaiko is a large drum set up on a stand.※41

42. The odaiko can be played from both sides.

43. A tsuzumi is a type of drum with both of its heads bound with ropes.

44. Tsuzumi are played with the fingertips.※44

45. A kotsuzumi is a small tsuzumi held on the shoulder.

46. An otsuzumi is a large tsuzumi placed on the left knee.

※35：「箏」は「こと」とも読まれ、「琴」と書かれることもありますが、本来は、「箏」と「琴」は別の楽器です。
※36：近代以降に開発された箏には、弦の数がさらに多いものもあります。
※41：楽器は、演奏している様子をイメージする場合、定冠詞のtheが付く傾向がありますが、それ以外の場合には、普通の可算名詞として扱われる傾向があります。
※44：大鼓（おおつづみ）の場合は、指先に指皮と呼ばれる指カバーのようなものを付けて演奏します。

◆管楽器 Ch14-06

47. 伝統的な日本の管楽器には、笙（しょう）、笛、尺八があります。

48. 笙は、17本の様々な長さの管からなっています。

49. 笙の音が鳴る仕組みは、パイプオルガンの仕組みと似ています。

50. 笙は、古典的な宮廷音楽に使われます。

51. 笛は、横向きのフルートの一種です。

52. 笛は、しばしば、祭りの音楽や伝統的な舞台演芸の伴奏に使われます。

53. 尺八は、縦向きのフルートの一種です。

54. 尺八は、伝統的な曲の伴奏に使われます。

55. 笛も尺八も、竹の幹で作られています。

◆ポップカルチャー Ch14-07

56. 今日、日本のポップカルチャーは、海外でも人気です。

57. 日本のポップカルチャーは、日本のソフトパワーの重要な部分と考えられています。

58. 日本のポップカルチャーで、人気がある分野は、アニメ、マンガ、コスプレ、オタク、アイドル、メイドカフェなどです。

47. Traditional Japanese wind instruments include sho, fue and shakuhachi.

48. The sho consists of 17 pipes of various lengths.

49. Its sound mechanism is similar to that of a pipe organ.

50. The sho is used for classical court music.

51. The fue is a kind of horizontal flute.

52. The fue is often used for festival music and in accompaniment to traditional stage dramas.

53. The shakuhachi is a type of vertical flute.

54. The shakuhachi is used to accompany traditional songs.

55. Both fue and shakuhachi are made from bamboo stems.

56. Today, Japanese pop culture is popular overseas as well.

57. Japanese pop culture is regarded as an important part of Japan's soft power.

58. Popular aspects of Japanese pop culture include anime, manga, cosplay, otaku, idols and maid cafes.

◆アニメ Ch14-08

59. アニメは、手描き、または、コンピューターによる日本製のアニメーションです。

60. 日本のアニメ映画は、世界中で高く評価されています。

61. 日本のアニメ映画は、国際映画コンテストで、しばしばノミネートされます。

◆マンガ Ch14-09

62. マンガは、日本製のコミックです。

63. マンガは、様々な年齢層を対象にした、幅広い話題をカバーしています。

64. 外国のコミック同様、マンガは、もともとは子供向けでした。

65. 大人の読者向けのマンガは、1950年代に登場しました。

66. それらは、劇画と呼ばれます。

67. 劇画は、しばしば、社会問題などの真面目な話題を扱っています。

68. 劇画は、若い労働者たちの手軽な娯楽として人気になりました。

69. 1970年代には、女性の読者を対象にしたマンガが登場しました。

70. これらは、少女マンガと呼ばれます。

71. 少女マンガの物語は、しばしば、恋愛を扱います。

72. 少女マンガの物語の筋は、文学作品のように、より凝ったものになりました。

59. Anime is Japanese hand-drawn or computer generated animation.

60. Japanese animation films are highly valued around the world.

61. They are often nominated for awards in international film contests.

62. Manga are Japanese comic books.

63. Manga cover a wide range of topics targeting various age groups.

64. Like comics in other countries, manga were originally for children.

65. Manga for adult readers emerged in the 1950s.

66. These are called gekiga.

67. They often deal with serious topics like social issues.

68. They became popular as a form of casual entertainment for young workers.

69. In the 1970s, manga targeting female readers emerged.

70. These are called shojo-manga, or girls' manga.

71. The stories of shojo-manga often deal with love and romance.

72. The plots of shojo-manga stories became more sophisticated, similar to works of literature.

73. 少女マンガは、しばしば、複雑な人間関係や、内面的な感情を描きます。

74. 1980年代には、学術的な話題を扱うマンガが登場しました。

75. これらのマンガは、経済や政治をカバーしています。

76. 今日のマンガは、学術的な題材だけでなく、スポーツ、音楽、料理、ゲームなどの様々な趣味の分野もカバーしています。

◆コスプレ Ch14-10

77. コスプレは、コスチュームプレイという言葉から作られた日本語です。

78. コスプレは、マンガや映画などのキャラクターの扮装をすることです。

79. コスプレという語は、今では、英語で普通に用いられています。

◆オタク Ch14-11

80. オタクは、あるサブカルチャーの分野に没頭するマニアを指します。

81. その分野には、マンガ、アニメ、ゲーム、アイドルなどが含まれます。

82. オタクは、日本語で「あなた」を意味する語から来ています。

83. オタクは、匿名のパソコンユーザーの間で、お互いに呼びかけるために使われるようになりました。

73. They often describe complicated interpersonal relationships and inner feelings.

74. In the 1980s, manga dealing with academic topics emerged.※74

75. These manga cover economics and politics.

76. Manga today cover not only academic topics, but also a variety of hobbies such as sports, music, cooking, games and more.

77. Cosplay is a Japanese term derived from the words "costume play."

78. Cosplay is dressing up as characters from manga and films.

79. The word cosplay is now commonly used in English.

80. Otaku refers to enthusiasts devoted to certain types of subculture.

81. The fields include manga, anime, games and idols.

82. Otaku derives from the Japanese word meaning "you."

83. It came to be used by anonymous PC users to address each other.

※74：1986年に発表された学習漫画、『マンガ日本経済入門』（石ノ森章太郎）などを指しています。

84. その後オタクは、geekやnerdという英語と似た意味を持つようになりました。

85. 今日では、特殊な分野の知識や技能を持つ人たちも、オタクと呼ばれます。

◆アイドル Ch14-12

86. アイドルは、メディアに登場する若くて魅力的な人物を指します。

87. アイドルには、人気の歌手、モデル、俳優などが含まれます。

88. 彼らは、しばしば、様々なメンバー数のグループを形成します。

89. ある少女のグループの場合は、50人近くのメンバーからなっています。

◆メイドカフェ Ch14-13

90. メイドカフェは、ウェイトレスがメイドの衣装を着たカフェです。

91. ウェイトレスは、客のメイドのように思わせながら客に接します。

92. メイドカフェのサービスは、自分が主人になったように客に感じさせます。

93. メイドカフェに似たお店は、今、海外でも人気です。

84. It later came to have a similar meaning to the English words "geek" and "nerd".※84

85. Today, people with knowledge or abilities in special fields are also called otaku.

86. Idols refer to young and attractive media personalities.

87. They include popular singers, models and actors.

88. They often form groups of various sizes.

89. Some girls' groups consist of nearly 50 members.

90. A maid cafe is a cafe with waitresses dressed in maid costumes.

91. They serve guests while pretending to be their maids.

92. The service at maid cafes makes guests feel like they are masters of the house.

93. Places similar to maid cafes are currently popular overseas as well.

※84：geek、nerdともに、コンピューターなどの専門知識は持っているが、流行などに疎く、外見的に魅力のない人というニュアンスで使われ始めた語です。

◆秋葉原 Ch14-14

94. 東京の秋葉原は、日本のポップカルチャーの中心地です。

95. 秋葉原は、最初は電気街として発展しました。

96. 今でも、電子機器や電子部品を売る多くの店があります。

97. 秋葉原は、パソコンファンの間で非常に人気になりました。

98. 多くの店が、ビデオゲームなどのソフトウェアを売り始めました。

99. そのため、アニメファンやゲームファンが秋葉原に集まり始めました。

100. 秋葉原は、今日では、東京で最も人気の観光地のひとつです。

94. Akihabara in Tokyo is a center of Japanese pop culture.

95. Akihabara first developed as an electronics quarter.

96. There are many shops selling electronic devices and parts even today.

97. Akihabara became a very popular place for PC enthusiasts.

98. Many shops started to sell software including video games.

99. As a result, anime and game fans started to gather in Akihabara.

100. Today, Akihabara is one of the most popular tourist spots in Tokyo.

Chapter 15 美術・工芸

◆庭園 Ch15-01

1. 伝統的な日本風の庭園は、日本庭園と呼ばれます。
2. 日本庭園は、基本的に風景式庭園です。
3. 日本庭園は、自然の風景を再現しようとしています。
4. 日本庭園は、築山、遣水（やりみず）、林、橋、石灯籠などからなっています。
5. 日本庭園には、茶室があるものもあります。
6. 初期の日本庭園は、貴族の住居に付属する庭園として発達しました。
7. 庭園には、阿弥陀仏の世界に基づいたものもあります。
8. 京都の宇治市にある平等院の庭園は、その典型的な例です。
9. 中世には、回遊式庭園が現れました。
10. 回遊式庭園は、禅宗寺院の敷地内に造られました。
11. 来園者は、庭園内を散策しながら、変わりゆく景色を見て楽しむことができます。

1. Traditional Japanese gardens are called Nihon teien.
2. Nihon teien are basically landscape gardens.
3. Nihon teien try to recreate scenes of nature.
4. Nihon teien consist of hills, streams, forests, bridges and stone lanterns.
5. Some Nihon teien have tea houses.
6. Early Nihon teien developed as gardens attached to aristocrats' residences.
7. Some gardens are based on the world of Amida Buddha.※7
8. The garden at Byodoin Temple in Uji City, Kyoto, is a typical example.
9. In the Middle Ages, stroll-style gardens emerged.
10. They were built on the grounds of Zen Buddhist temples.
11. Visitors can enjoy viewing changing scenes by strolling around.

※7：浄土式庭園と呼ばれます。

12. 天龍寺や西芳寺の庭園は、その典型的な例です。

13. 中世には、枯山水も現れました。

14. 枯山水は、主に、石と砂からなっています。

15. 枯山水の設計は、禅の哲学を反映しています。

16. 枯山水の設計は、仏教世界を象徴しています。

17. 龍安寺と大徳寺の庭園が、その典型的な例です。

18. 龍安寺の石庭には、砂の上に15 個の石が配置してあります。

19. どこから見ても、少なくともひとつの石が、常に他の石の背後に隠れています。

20. その配置は、無限の想像を掻き立てます。

21. その庭を誰が設計したのかは、分かりません。

22. 庭園には、借景の技法を用いたものもあります。

23. 借景は、たいていは山などの周囲にある景色を、庭園の設計の一部として利用することです。

24. 修学院離宮の庭園は、その典型的な例です。

25. 江戸時代には、大名が、自分の住居や城に回遊式庭園を造りました。

26. 東京の小石川後楽園や金沢の兼六園は、その典型的な例です。

12. The gardens at Tenryuji Temple and Saihoji Temple are typical examples. ※12

13. In the Middle Ages, dry landscape gardens also emerged.

14. They mainly consist of rocks and sand.

15. The garden designs reflect Zen philosophies.

16. They symbolize the Buddhist world.

17. The gardens at Ryoanji Temple and Daitokuji Temple are typical examples. ※17

18. In Ryoanji's garden, 15 rocks are arranged on the sand.

19. From any viewpoint, at least one rock is always hidden behind the others.

20. The arrangement evokes endless imagination.

21. It is not known who designed it.

22. Some gardens use the shakkei technique.

23. Shakkei is to use the surrounding scenery, usually mountains, as part of the garden's design.

24. The garden at Shugakuin Rikyu Imperial Villa is a typical example. ※24

25. In the Edo Period, feudal lords built stroll gardens at their residences and castles.

26. Koishikawa Korakuen in Tokyo and Kenrokuen in Kanazawa are typical examples.

※12：いずれも京都市にあります。西芳寺は苔寺とも呼ばれます。
※17、24：いずれも京都市にあります。

◆盆栽 Ch15-02

27. 盆栽は、小型の鉢植えの樹木を育てる伝統的な芸道です。

28. 盆栽は、鑑賞のために、屋外の庭に置かれることがよくあります。

29. 樹木は、剪定、植え替え、針金かけなどによって、小型化されます。

30. 盆栽には、数百年にわたって手入れをされてきたものもあります。

◆陶磁器 Ch15-03

31. 陶磁器製造は、日本では長い歴史があります。

32. 土器の製造は、約1万5000年前に始まりました。

33. 初期のものは、縄文土器と呼ばれます。

34. 縄文とは、縄目の文様の意味です。

35. 縄文土器には、表面に縄を転がして付けた文様があります。

36. 縄文土器は、紀元前300年ごろに弥生式土器に取って代わられました。

37. 弥生土器は、きめの細かい粘土で作られ、より薄い壁を持ちます。

38. 弥生土器は、簡素に見えますが、実際にはより高度な技術で作られています。

27. Bonsai is a traditional art form of growing miniature potted trees.

28. Bonsai are often displayed outdoors in gardens for appreciation.

29. Trees are kept small by pruning, repotting and wiring them.

30. Some bonsai have been continuously looked after for hundreds of years.

31. Ceramic production has a long history in Japan.

32. Earthenware production started about 15,000 years ago.

33. Early pieces are called Jomon earthenware.

34. Jomon means rope patterns.

35. Jomon earthenware has patterns made by rolling ropes along the surface.

36. Jomon earthenware gave way to Yayoi earthenware around 300 BCE.

37. Yayoi earthenware is made of finer clay and has thinner walls.※37

38. Yayoi earthenware looks simpler, but is actually more sophisticated.※38

※37：弥生土器の名称は、発見場所の東京都文京区弥生（発見当時は東京府本郷区向ヶ岡弥生町）に由来します。
※37、38：縄文土器と比較する意味で、比較級を使っています。

39. 登り窯は、４世紀に大陸から伝わりました。

40. 登り窯は、器をより高い温度で焼くことができました。

41. ８世紀には、釉薬を用いた陶器が日本にもたらされました。

42. 16 世紀には、茶の湯が流行るようになりました。

43. それとともに、陶器の製造もさかんになりました。

44. 茶碗の有名なブランドに、楽(らく)、志野(しの)、備前(びぜん)などがあります。

45. 17 世紀初期に、九州の有田で磁器の製造が始まりました。

46. 江戸時代には、彩り豊かな上絵付を用いた作品が人気になりました。

◆漆器 Ch15-04

47. 漆器の製造は、日本では縄文時代に始まりました。

48. 漆は、漆の木の樹液から作られます。

49. 漆を表面に塗ることで、器は、長持ちし、優美に見えます。

50. 漆器には、椀、重箱、盆、箸などがあります。

39. A climbing kiln was introduced from the Asian continent in the 4th century.

40. It was able to bake pieces at higher temperatures than before.

41. In the 8th century, glazed pottery was introduced to Japan.※41

42. In the 16th century, the tea ceremony became popular.

43. With it, pottery production also became popular.

44. Famous tea bowl brands include Raku, Shino and Bizen.

45. In the early 17th century, porcelain production started in Arita in Kyushu.

46. In the Edo Period, pieces with colorful overglaze paintings became popular.※46

47. Lacquerware production started in Japan in the Jomon Period.

48. Lacquer is produced from the sap of lacquer trees.

49. Lacquer coating makes pieces more durable and elegant looking.

50. Lacquerware includes things like soup bowls, layered boxes, trays and chopsticks.

※41：釉薬（ゆうやく）は、陶磁器の表面を覆うガラス質のコーティングを指します。「釉」（うわぐすり）とも呼ばれます。

※46：陶磁器は、形成→素焼き→下絵付→施釉（釉薬をかける工程）→本焼き→上絵付→低温焼成の順で作られます。つまり、下絵付の絵柄は、釉薬の下、上絵付の絵柄は釉薬の表面に描かれることになります。

51. 漆器の有名なブランドに、石川県の輪島や青森県の津軽などがあります。

52. 漆器の表面に装飾を付けるための、様々な技法があります。

53. 螺鈿(らでん)は、カットした貝殻片を表面に埋め込むものです。

54. 蒔絵は、漆で描いた文様の上に、金粉や色粉を振りかけるものです。

55. 沈金(ちんきん)は、漆面に付けられた細い溝を金粉や色粉で埋めるものです。

56. 堆朱(ついしゅ)は、表面の厚い漆の層に彫り物をするものです。

◆絵画 Ch15-05

57. 日本の初期の絵画は、ほとんどが仏教関連でした。

58. そうした絵画は、仏堂の壁などに描かれました。

59. 風景や人々の生活を描いた絵画は、平安時代に現れました。

60. 絵画は、しばしば、屏風、扉、建物の壁などに描かれました。

61. 12世紀には、絵巻物が現れました。

62. 初期の作品のひとつが、『鳥獣人物戯画』です。

63. この作品は、動物を人間になぞらえて、コミカルに描いています。

51. Famous lacquerware brands include Wajima in Ishikawa Prefecture and Tsugaru in Aomori Prefecture.

52. There are many different techniques used to make decorations on the surface of lacquerware.

53. Raden is to embed cut seashell pieces on the surface.

54. Makie is to sprinkle gold or pigment powder on drawings made with lacquer.[※54]

55. Chinkin is to fill the thin grooves made on the lacquered surface with gold or pigment powder.

56. Tsuishu is to carve patterns into the thick layers of lacquer on the surface.[※56]

57. Japan's early paintings were mostly related to Buddhism.

58. They were done on the walls of Buddhist halls.

59. Paintings depicting landscapes and people's lives appeared in the Heian Period.

60. They were often done on the screens, doors and walls of buildings.

61. In the 12th century, picture scrolls emerged.

62. One of the earliest works was Choju-jinbutsu-giga.

63. It comically depicts animals by likening them to human beings.

※54：振りかけて定着させることを、「蒔く」と言います。
※56：朱漆を使うと堆朱、黒漆を使うと堆黒（ついこく）と呼ばれます。

64. 『鳥獣人物戯画』は、マンガの原型と言われています。

65. 鎌倉時代には、水墨画が日本に伝わりました。

66. 初期の作品は、中国の絵画の影響が強いように思えます。

67. 室町時代には、禅僧が数多くの秀逸な作品を作りました。

68. 15世紀には、雪舟という名の禅僧が、日本式の水墨画を確立しました。

69. 画家の中には、伝統的な日本画と水墨画を融合させようとする者もいました。

70. そのような派のひとつが、狩野派でした。

71. 16世紀には、色彩豊かな絵画が、寺院や城の襖や屏風に描かれました。

72. 中には、金箔を使った豪華な仕上げの絵画もありました。

73. 16世紀には、京都の町並みを描いた絵画が現れました。

74. これらの絵画は、風俗画の原型と言われています。

75. これらの絵画は、京都の人たちの生活をいきいきと描いています。

76. 江戸時代には、庶民の生活を描いた絵画が現れました。

77. それらは、浮世絵と呼ばれます。

78. 浮世絵の文字通りの意味は、「浮遊している世界の絵」です。

64. Choju-jinbutsu-giga is said to be the prototype of manga.

65. In the Kamakura Period, Indian ink paintings were introduced into Japan.

66. Early works appear to have been strongly influenced by Chinese paintings.

67. Zen Buddhist monks produced many excellent pieces in the Muromachi Period.

68. In the 15th century, a Zen monk named Sesshu established Japanese-style suibokuga.

69. Some painters tried to merge traditional Japanese-style paintings and Indian ink paintings. ※69

70. One such school was the Kano school.

71. In the 16th century, colorful paintings were done on the paper doors and screens of temples and castles.

72. Some paintings were lavishly finished using gold leaf.

73. In the 16th century, paintings depicting the townscape of Kyoto appeared. ※73

74. These are said to be the prototype of genre-style paintings.

75. They often vividly depict the lives of people in Kyoto.

76. In the Edo Period, pictures depicting the lives of the commoners emerged.

77. They are called ukiyo-e.

78. Ukiyo-e literally means "pictures of the floating world."

※69：伝統的な日本画は、「大和絵」と呼ばれます。
※73：洛中洛外図を意味しています。

79. 初期の浮世絵は、手描きでした。

80. 後に、浮世絵は、木版画として発達しました。

81. 菱川師宣という名の絵師は、美人画を作成しました。

82. 初期の作品には、白黒で刷られ、手作業で彩色されたものあります。

83. 鈴木春信という名の絵師は、多色刷りの木版画を導入しました。

84. 春信は、美人を描いた作品で有名です。

85. やがて、錦絵と呼ばれる、多色刷り版画が主流となりました。

86. 江戸時代末期には、多くの有名な浮世絵師が登場しました。

87. 彼らは、美人、力士、風景などを描きました。

88. 葛飾北斎は、『富嶽三十六景』のシリーズを作成しました。

89. 東洲斎(とうしゅうさい)写楽は、歌舞伎役者を描いた作品で有名でした。

90. 歌川広重は、『東海道五十三次』のシリーズを作成しました。

91. 木版画では、版画を大量生産することが可能です。

92. そのため、浮世絵は、気軽な娯楽の様式として、庶民の間で人気になりました。

79. Early ukiyo-e were hand-drawn.

80. Later, ukiyo-e developed as woodblock printings.

81. An artist named Hishikawa Moronobu created ukiyo-e featuring beautiful women.※81

82. Some early pieces were printed in black and white, and colored by hand.

83. An artist named Suzuki Harunobu introduced multi-color woodblock printing.

84. Harunobu is famous for his works depicting beautiful women.

85. Multi-color printings called nishiki-e soon became the mainstream.

86. In the late Edo Period, many famous ukiyo-e artists appeared.

87. They depicted beautiful women, sumo wrestlers and landscapes.

88. Katsushika Hokusai created his series of 36 views of Mt. Fuji.

89. Toshusai Sharaku was famous for his works depicting Kabuki actors.

90. Utagawa Hiroshige created his series of 53 stations of the Tokaido Highway.

91. With woodblock printing, prints can be mass-produced.

92. So, ukiyo-e became popular among the commoners as the form of casual entertainment.

※81：菱川師宣は、黒摺絵と呼ばれる単色の版画や肉筆画を作成し、浮世絵の元祖と言われます。なお、菱川師宣作の『見返り美人図』は肉筆画です。

93. 浮世絵に魅了された西洋人もいました。

94. 浮世絵は、西洋諸国に輸出されました。

95. 浮世絵は、西洋の芸術家、特に印象派の人たちに強い影響を与えました。

96. ゴッホは、浮世絵に強い興味を示したことでよく知られています。

97. 明治時代には、西洋画が日本にもたらされました。

98. 写真や活版印刷が広まったために、浮世絵は、急速に廃れていきました。

99. 今日では、浮世絵は、日本独特の古典美術様式とみなされています。

100. 今日では、様々な種類の浮世絵のコピーが、プリントやカードの形で売られています。

93. Some Westerners were also fascinated by ukiyo-e.

94. Ukiyo-e were exported to Western countries.

95. They strongly influenced Western artists, especially the Impressionists.

96. Van Gogh is well-known for showing a strong interest in ukiyo-e.

97. In the Meiji Period, Western paintings were introduced to Japan.

98. With the spread of photographs and typographical printing, ukiyo-e rapidly declined.

99. Today, ukiyo-e is regarded as a classical art genre unique to Japan.

100. Today, various copies of ukiyo-e are available in the form of prints and cards.

Chapter 16 習い事・趣味

◆茶の湯 Ch16-01

1. 茶の湯は、英語でthe tea ceremonyとして知られています。
2. 茶の湯は、自己鍛錬の一形式として稽古されます。
3. 茶の湯は、また、礼儀作法を身につけるために稽古されます。
4. 日本人は、古代に茶を飲み始めました。
5. 中世には、茶を飲む習慣が、禅僧の間で広まりました。
6. 16世紀末に、千利休がわび茶の様式を確立しました。
7. わび茶は、簡素さの大切さを重視します。
8. 多くの流派が、千利休の後継者から分派していきました。
9. 表千家、裏千家、武者小路千家は、三大流派です。
10. 茶の湯は、最高のおもてなしで客に茶を振る舞う芸道です。
11. お返しに、客は、主人に尊敬と感謝の気持ちを表します。
12. 茶の湯はしばしば、茶室で行われます。
13. 茶室は、通常狭くて、３畳から４畳半ぐらいです。
14. 茶室には、にじり口と呼ばれる小さな入口があります。

1. Chanoyu is known as the tea ceremony in English.
2. Chanoyu is practiced as a form of self-discipline.
3. Chanoyu is also practiced to learn good manners.
4. The Japanese started drinking tea in ancient times.
5. Drinking tea became popular among Zen monks in the Middle Ages.
6. In the late 16th century, Sen no Rikyu established the wabicha style.
7. Wabicha emphasizes the importance of simplicity.
8. Many schools of tea branched off from Sen no Rikyu's successors.
9. Omotesenke, Urasenke and Mushanokojisenke are the three biggest schools.
10. Chanoyu is the art of serving tea to guests with the utmost hospitality.
11. In return, the guests show their respect and gratitude to the host.
12. The tea ceremony is often held at a tea house.
13. A tea house is usually small, being three to four-and-a-half tatami mats in size.
14. The tea house has a small entrance called the nijiriguchi.

15. 客は正座の姿勢で、身をかがめてにじり口を通ります。

16. 拳を使って、体を持ち上げながら進みます。

17. にじり口を通ることは、誰もが対等であることを象徴しています。

18. 正式な茶会では、懐石と呼ばれるコース料理が出されます。

19. 懐石の後に、主菓子（おもがし）と呼ばれる生和菓子が出されます。

20. しばらく外で休憩を取った後、濃茶（こいちゃ）と呼ばれる、濃いお茶が出されます。

21. 濃茶の後に、干菓子と呼ばれる乾燥した和菓子が出されます。

22. 次に、薄茶と呼ばれる軽いお茶が出されます。

◆生け花 Ch16-02

23. 生け花は、日本式のフラワーアレンジメントです。

24. 生け花は、自己鍛錬の一形式として稽古されます。

25. 生け花は、また、礼儀作法を身につけるために稽古されます。

26. 生け花は、仏壇に花を供える手法として発達しました。

27. 多くの生け花の流派があります。

28. 池坊（いけのぼう）、小原（おはら）、草月（そうげつ）は、三大流派です。

29. 池坊は、最も古い流派です。

30. 池坊は、中世に発達しました。

15. The guests crouch through the nijiri-guchi in a seiza sitting posture.

16. They use their fists to lift their body and proceed.

17. Going through the nijiriguchi symbolizes everyone is equal.

18. In a formal tea gathering, a multi-course meal called kaiseki is served.

19. After kaiseki, fresh Japanese sweets called omogashi are served.

20. After a short break outside, a thick tea called koicha is served.

21. After koicha, dried Japanese sweets called higashi are served.

22. Then, a light tea called usucha is served.

23. Ikebana is Japanese-style flower arrangement.

24. Ikebana is practiced as a form of self-discipline.

25. Ikebana is also practiced to learn good manners.

26. Ikebana developed as a way to offer flowers to Buddhist altars.

27. There are many schools of Ikebana.

28. Ikenobo, Ohara and Sogetsu are the three biggest schools.

29. Ikenobo is the oldest school.

30. The Ikenobo school developed in the Middle Ages.

31. 池坊は、３つの異なる花の活け方を教えます。

32. 立花(りっか)は、最も古い伝統的な様式です。立花は、室町時代に発達しました。

33. 生花(しょうか)は、よりシンプルな様式です。生花は、江戸時代に発達しました。

34. 自由花(じゆうか)は、自由な様式です。自由花は、戦後に発達しました。

35. 小原流は、19世紀末に、小原雲心(うんしん)によって創始されました。

36. 小原流は、盛花(もりばな)と呼ばれる様式によって特徴づけられています。

37. 盛花は、西洋のフラワーアレンジメントの影響を受けています。

38. 盛花では、多くの花や草を、浅い器に盛るように生けます。

39. 花を支えるために、剣山と呼ばれる道具が使われます。

40. 草月流は、20世紀初期に、勅使河原(てしがわら)蒼風(そうふう)によって創始されました。

41. 草月流は、自由な表現を追求します。

42. そのため、個性の重要さに重きを置きます。

◆書道 Ch16-03

43. 書道は、日本式のカリグラフィーです。

31. The Ikenobo school teaches three different styles of arranging flowers.

32. Rikka is the oldest traditional style. It developed during the Muromachi Period.

33. Shoka is a simpler style. It developed during the Edo Period.

34. Jiyuka is a free style. It developed after World War II.

35. The Ohara school was established by Ohara Unshin in the late 19th century.

36. The Ohara school is characterized by a style called moribana.

37. The moribana style is influenced by Western flower arrangement.

38. In moribana, a number of flowers and leaves are arranged as if being mounted in a wide shallow vase.

39. To support the flowers, a pinholder called kenzan is used. ※39

40. The Sogetsu school was established by Teshigawara Sofu in the early 20th century.

41. The Sogetsu school pursues free expression.

42. So, it places emphasis on the importance of individuality.

43. Shodo is Japanese calligraphy. ※43

※39：pinholderは、剣山以外の意味はありませんので、日本語訳では「道具」としてあります。
※43：calligraphyは、筆や特殊なペンで美しい文字を手書きする技法を意味します。

44. 書道の目的は、筆と墨を使って、芸術的な文字を書くことです。

45. 墨汁は、墨に水を付けて硯の上でこすることで作られます。

46. 書道では、墨の濃淡や高度な筆運びが重要です。

47. 書道は、自己鍛錬の方法のひとつとみなされています。

48. 書道は、学校教育でも教えられています。

49. 正月ごろには、多くの人が、書初めと呼ばれるその年最初の書道を行います。

50. 縁起の良い言葉や新年の抱負を書いたりします。

◆日本の文字・文芸 Ch16-04

51. 日本人は、２種類の異なる文字のセットを用います。

52. ひとつは、漢字です。漢字は、中国の表意文字です。

53. もうひとつは、仮名です。仮名は、日本の表音文字です。

54. 漢字は、古代に中国からもたらされました。

55. 中国語と日本語は、まったく異なる言語です。

56. 日本人は、漢字を中国語と日本語の両方で読みます。

57. 中国語の読みは、音読みと呼ばれます。

58. 日本語の読みは、訓読みと呼ばれます。

44. Its aim is writing artistic characters using a brush and India ink.

45. The ink is made by rubbing an ink stick with water onto an ink stone. ※45

46. Using different shades of ink and skillful brush strokes is important in shodo.

47. Shodo is regarded as a way to discipline oneself.

48. Shodo is also taught in school education.

49. Around the New Year, many people practice the first writing of the year called kakizome.

50. They write auspicious phrases or their New Year's resolutions.

51. The Japanese use two different sets of characters.

52. One is kanji. Kanji are Chinese ideographic characters.

53. The other is kana. Kana are Japanese phonetic characters.

54. Kanji were brought to Japan from China in ancient times.

55. Chinese and Japanese are completely different languages.

56. The Japanese read kanji in both Chinese and Japanese.

57. Chinese readings are called on-yomi.

58. Japanese readings are called kun-yomi.

※45：墨は、固形の墨、および、その墨から作られる液（墨汁）の両方を意味します。

59. たとえば、山を意味する漢字は、「サン」とも「ヤマ」とも読むことができます。

60. サンは音読みで、ヤマは訓読みです。

61. 漢字の読みは、使われている文脈によって決まります。

62. 富士山の場合、富士は音読みに基づいた名前です。

63. そのため、（フジサンの）サンという、山を意味する語には、音読みが使われています。

64. 箱根山の場合、箱根は訓読みに基づいた名前です。

65. そのため、（ハコネヤマの）ヤマという、山を意味する語には、訓読みが使われています。

66. 9世紀ごろに、日本人は仮名と呼ばれる独自の表音文字を発明しました。

67. 仮名を使うことで、日本人は、自分たちの話し言葉を自由に書き表せるようになりました。

68. 宮廷の女性たちは、仮名を使って独自の文学作品を作り始めました。

69. 最も有名な作品のひとつに、紫式部による『源氏物語』があります。

70. 『源氏物語』は、世界最古の長編小説です。

71. 別の有名な作品に、清少納言による『枕草子』という表題の随筆があります。

59. For example, the kanji meaning mountain can be read as "san" or "yama".

60. San is the Chinese reading, and yama is the Japanese reading.

61. Readings of the kanji are decided by the context of its usage.

62. In the case of Fuji-san, or Mt. Fuji, the name Fuji is based on the on-yomi.※62

63. So, for the word "san", meaning a mountain, the on-yomi is used.※63

64. In the case of Hakone-yama, or Mt. Hakone, the name Hakone is based on the kun-yomi.※64

65. So, for the word "yama" meaning a mountain, the kunyomi is used.※65

66. Around the 9th century, the Japanese invented their own phonetic characters called kana.

67. By using kana, the Japanese became able to freely write their spoken language.

68. Court ladies began creating their own literary works using kana.

69. One of the most famous works is *The Tale of Genji* by Murasaki Shikibu.

70. *The Tale of Genji* is the world's oldest full-length novel.

71. Another famous work is an essay titled *Pillow Book* by Sei Shonagon.

※62、63、64、65：青森県の岩木山（いわきさん）や三重県の御在所山（ございしょやま）など、例外もあります。また、信仰対象となっている山に音読みが多い傾向があります。

72. 仮名は、漢字を補完するために使われるようになりました。

73. 仮名には、２種類あります。平仮名と片仮名です。

74. 平仮名は、似た音を持つ草書体の漢字から派生しました。

75. 片仮名は、似た音を持つ漢字の部位を取って作られました。

76. 今日では、平仮名は主に、補完用に用いられます。

77. 片仮名は主に、外来語を表記するのに用いられます。

78. 和歌は、日本の詩歌の形式のひとつです。

79. 和歌を作る伝統は、古代から続いています。

80. 和歌は、5-7-5-7-7の音節パターンを使って書かれます。

81. 江戸時代には、俳句と呼ばれる、もっと短い様式の詩歌が確立されました。

82. 俳句は、5-7-5の音節パターンを使って書かれます。

83. 俳句には、季語と呼ばれる、季節を表す語を含まなければなりません。

84. 季語には、気象現象、鳥、植物、動物、食べ物などが含まれます。

85. 川柳と呼ばれる、別の詩歌の形式も、江戸時代に確立されました。

86. 川柳もまた、5-7-5の音節パターンからなっています。

87. 川柳は、日常の出来事をユーモアや風刺を使って表現します。

72. Kana came to be used to supplement kanji characters.

73. There are two types of kana. They are hiragana and katakana.

74. Hiragana derived from cursive versions of kanji characters with similar sounds.

75. Katakana were made by taking parts of kanji with similar sounds.

76. Today, hiragana are used mainly as supplements.

77. Katakana are used mainly for writing loan words.

78. Waka is a form of Japanese poetry.

79. The tradition of writing waka has been around since ancient times.

80. Waka poems are written using a 5-7-5-7-7 syllable pattern.

81. In the Edo Period, a shorter form of poetry called haiku was established.

82. Haiku poems are written using a 5-7-5 syllable pattern.

83. Haiku must contain a seasonal word called kigo.

84. Kigo include words for weather phenomena, birds, plants, animals and food.

85. Another form of poetry called senryu was also established in the Edo Period.

86. A senryu poem also consists of the 5-7-5 syllable pattern.

87. Senryu express daily happenings using humor and satire.

◆室内遊戯 Ch16-05

88. 伝統的な日本の室内遊戯には、囲碁、将棋、小倉百人一首などがあります。

89. 囲碁では、2人の競技者が碁盤の上に黒と白の石を交互に置いていきます。

90. できる限り広い陣地を獲得した競技者が、ゲームに勝ちます。

91. 将棋は、西洋のチェスに似たゲームです。

92. 将棋では、捕った駒は、捕った者が再び使うことができます。

93. この規則によって、将棋はとても複雑になっています。

94. 囲碁と将棋には、プロの棋士がいます。

95. 小倉百人一首は、100首の和歌が書かれた札を使います。

96. これら100首の和歌は、藤原定家という名の、13世紀の歌人によって編まれました。

97. それぞれの札に、それらの和歌の1首の後半が書いてあります。

98. それらの札は床に広げて置かれます。

99. 読み手は、読み札を使って、ある和歌の最初の部分を読みます。

100. 競技者は、正しい札をより速く拾うことで競い合います。

88. Traditional Japanese indoor games include igo, shogi, and Ogura Hyakunin Isshu.

89. In igo, two players take turns placing black and white stones on a board.

90. The player with the greatest amount of territory wins the game.

91. Shogi is a game similar to Western chess.

92. In shogi, captured pieces can be reused by the captor.

93. This rule makes shogi quite complicated.

94. There are professional igo and shogi players.

95. Ogura Hyakunin Isshu uses cards with 100 waka poems written on them.

96. These 100 waka were compiled by a 13th-century poet named Fujiwara no Teika.

97. Each card bears the latter half of one of those waka.

98. They are spread on the floor. ※98

99. The reader uses reading cards and reads the first part of a certain poem. ※99

100. The contestants compete with each other to be the first to pick up the correct card.

※98：この札は、取り札を意味しています。
※99：競技かるたでは、読み手は、読手（どくしゅ）と呼ばれます。

Chapter 17 スポーツ・武道

◆武道（柔道、剣道、弓道、合気道、空手） Ch17-01

1. 武道は、日本の格闘技を指します。
2. 武道には、柔道、剣道、弓道、合気道、空手などがあります。
3. 柔道は、武器を用いない格闘技の様式です。
4. 柔道では、様々な投げ技や固め技が用いられます。
5. 柔道は、柔術から発達しました。
6. 柔術は、近代以前に、武士によって使われていました。
7. 明治維新後、武士階級はなくなりました。
8. 柔術は、無用で野蛮と思われるようになりました。
9. 19世紀末、嘉納治五郎（かのうじごろう）は柔術に自己鍛錬の要素を加え、柔道を創始しました。
10. 彼は、この新しい様式の格闘技を柔道と名付けました。
11. 彼は、東京の永昌寺に、柔道の道場を設けました。
12. 柔道は、礼儀に重きを置きます。
13. 試合の前後に、競技者はお互いに礼をします。
14. 柔道は、「柔よく剛を制す」という原則に基づいています。
15. 柔道は、投技において、バランスと相手の体重を利用します。

1. Budo refers to Japanese martial arts.
2. Budo include judo, kendo, kyudo, aikido and karate.
3. Judo is an unarmed form of combat.
4. Judo uses various throwing and pinning techniques.
5. Judo developed from jujutsu.※5
6. Jujutsu was used by samurai in pre-modern times.
7. After the Meiji Restoration, the samurai class disappeared.
8. Jujutsu came to be seen as unnecessary and uncivilized.
9. In the late 19th century, Kano Jigoro founded judo by adding an element of self-discipline to jujutsu.
10. He named this new form of martial art judo.
11. He established a judo practice hall at Eishoji Temple in Tokyo.
12. Judo emphasizes the importance of courtesy.
13. Contestants bow to each other before and after bouts.
14. Judo is based on the principle of softness overcoming hardness.
15. Judo utilizes balance and the opponent's weight in its throwing techniques.

※5：英語の辞書では、「柔術」のスペリングはjujitsuとなっています。

16. そのため、身体が小さい競技者でも、自分より大きい相手を投げることができます。

17. もともと、柔道には、体重別階級はありませんでした。

18. 1964年の東京オリンピックで、柔道はオリンピック競技に加えられました。

19. その時に、体重別階級制度が、柔道に初めて導入されました。

20. 1964年の東京大会では、男子柔道しかなく、4階級ありました。

21. 今日では、男子・女子ともに、7階級あります。

22. 競技者は、一本を取ることで試合に勝ちます。

23. 一本は、相手を投げるか、一定時間相手を固めることで、取ることができます。

24. 剣道は、日本式の剣術です。

25. 剣道では、礼儀作法、精神修養、自己鍛錬を重視します。

26. 競技者は、竹刀と呼ばれる竹製の刀を使います。

27. 競技者はまた、様々な防具も用います。

28. 防具には、面と呼ばれる顔マスク、胴と呼ばれる胸腹部の防具、小手と呼ばれる防護用のグローブがあります。

29. 競技者は、一本を2つ取ることで試合に勝ちます。

30. 一本は、竹刀で相手の防具の正しい部分を打つことで取ることができます。

16. So, even a small contestant can throw a bigger opponent.

17. Originally, there were no weight divisions in judo.

18. At the1964 Tokyo Olympic Games, judo was added to the Olympic sports.

19. At that time, a weight division system was introduced to judo for the first time.

20. At the 1964 Tokyo Games, there were four divisions for men's judo only.

21. Today, there are seven divisions for both men's and women's judo events.

22. Contestants win a match by scoring ippon.

23. Ippon can be gained by throwing the opponent or pinning the opponent for a given time.

24. Kendo is a Japanese form of fencing.

25. Kendo emphasizes good manners, mental training and self-discipline.

26. Practitioners use bamboo swords called shinai.

27. They also use various types of protectors.

28. They include a face mask called men, a chest protector called do and protective gloves called kote.

29. Contestants win a match by scoring two points.

30. A point is scored by hitting the correct parts of the opponent's protectors with a shinai.

31. 剣道では、一本を取る際に重要なことが3つあります。

32. それらは、気剣体(きけんたい)です。

33. 気は、気合です。

34. 狙った部分を示すために、大きな声で叫ばなければなりません。

35. 剣は、竹刀の正しい使い方です。

36. 狙った個所の正しい部分を、竹刀の正しい部分で打たなければなりません。

37. 体は、正しい姿勢をとることです。

38. 狙った場所を打った後でも、正しい姿勢を保たなければなりません。

39. 弓道は、日本式のアーチェリーです。

40. 弓道では、伝統的な日本式の弓矢のセットを用います。

41. 弓道は、明治維新後に一旦廃れました。

42. しかし、20世紀初頭に、スポーツの一様式として再興されました。

43. 柔道や剣道と同様、弓道では、礼儀や自己鍛錬が重要です。

44. 弓道の射法は、8つの段階からなる型に基づいています。

45. 競技者は、射ったスコアと型の両方で競います。

46. 合気道は、武器を使わない護身術の一様式です。

47. 合気道は、20世紀半ばに、植芝盛平(うえしばもりへい)によって創始されました。

31. In kendo, there are three important things in scoring a point.

32. They are ki-ken-tai.

33. Ki is fighting spirit.

34. You must shout loudly to indicate the target point.

35. Ken is the correct usage of the shinai.

36. You must hit the correct part of the target with the correct part of the shinai.

37. Tai is having the proper posture.

38. You must maintain the proper posture even after hitting the target.

39. Kyudo is a Japanese form of archery.

40. Kyudo uses a set of traditional Japanese bow and arrows.

41. Kyudo once declined after the Meiji Restoration.

42. But it was revived as a form of sport in the early 20th century.

43. Like judo and kendo, courtesy and self-discipline are important in kyudo.

44. Shooting techniques in Kyudo are based on a form consisting of eight steps. ※44

45. Contestants compete in both shooting and forms.

46. Aikido is a form of unarmed self-defense.

47. Aikido was founded by Ueshiba Morihei in the mid-20th century.

※44：「射法八節」と呼ばれます。

48. 合気道は、様々な投げ技や固め技によって特徴づけられています。

49. 合気道は、相手の勢いや力を利用します。

50. 合気道では、型と呼ばれる正しいフォームを練習します。

51. 合気道には、試合はありません。

52. 空手は、武器を使わない格闘技の一様式です。

53. 空手は、中世に沖縄で発達しました。

54. 空手は、20世紀初期に、日本の他の地域に紹介されました。

55. 空手は、打ち、突き、蹴りによって特徴づけられています。

56. 空手の試合は、型と組手からなっています。

57. 型は、様々な型の演武を指します。

58. 組手は、2人の競技者による格闘を指します。

59. 空手は、東京2020オリンピックにおいて追加種目となりました。

48. Aikido is characterized by various throwing and pinning techniques.

49. Aikido utilizes the opponent's momentum and strength.

50. In Aikido, practitioners practice proper forms called kata.

51. There are no bouts in aikido.

52. Karate is a form of unarmed combat.

53. Karate developed in Okinawa in the Middle Ages.

54. Karate was introduced to other parts of Japan in the early 20th century.

55. Karate is characterized by arm strikes, thrusts and kicks.

56. Karate competitions consist of kata and kumite.

57. Kata refers to the performance of various forms.

58. Kumite refers to the combat between two contestants.

59. Karate was added as an additional event at the Tokyo 2020 Olympics.

◆相撲 Ch17-02

60. 相撲は、伝統的な日本式のレスリングです。

61. 相撲は、日本の国技とされています。

62. 相撲は、古代に神道の儀式として発達しました。

63. 相撲は、もともとは吉凶の占いの手段でした。

64. 江戸時代に、相撲は、社寺の修復費用を集めるために行われました。

65. 後に、相撲は観戦スポーツになりました。

66. プロの相撲は、日本相撲協会が運営しています。

67. 相撲は、力士がまわししか着けていないことによって特徴づけられています。

68. これは、力士が武装していないことを示すためです。

69. 力士は、髷（まげ）と呼ばれる形に髪を結います。

70. 相撲には、数多くの儀式的な側面があります。

71. 力士は、土俵の上で、四股（しこ）を踏みます。

72. これは、土俵から邪気を追い払うために行われます。

73. 力士はまた、取り組みの前に、塩を土俵に撒きます。

74. これは、土俵を清めるための神道の儀式です。

75. かつては、土俵そのものが、神社でした。

76. 事実、土俵には、競技場の天井から吊るされた屋根があります。

77. 定期的な相撲のトーナメントが、年に６回開催されます。大相撲と呼ばれます。

60. Sumo is a traditional Japanese form of wrestling.

61. Sumo is regarded as Japan's national sport.※61

62. Sumo developed as a Shinto ritual in ancient times.

63. Sumo was originally a way of telling fortunes.

64. In the Edo Period, sumo was performed to raise funds for restoring shrines and temples.

65. Later, sumo became a spectator sport.

66. Professional sumo is managed by the Nihon Sumo Kyokai.

67. Sumo is characterized by wrestlers wearing only a belt.

68. This is to show they are unarmed.

69. Sumo wrestlers style their hair in topknots called mage.

70. Sumo has many ritualistic aspects.

71. Wrestlers stomp their feet on the dohyo ring.

72. This is done to drive away evil from the ring.

73. They also throw salt onto the ring before the bout.

74. This is a Shinto ritual of purifying the ring.

75. The dohyo ring itself used to be a shrine.

76. In fact, it has a roof hung from the ceiling of the arena.

77. Regular sumo tournaments are held six times a year. They are called Ozumo.

※61：法令等で正式に認定されているわけではありませんが、伝統的で国民にも広く親しまれていることから、一般に国技として捉えられています。

78. 大相撲は、東京の両国国技館において、1月、5月、9月の3回行われます。

79. 残りの3回の大相撲は、3月に大阪、7月に名古屋、11月に福岡で行われます。

80. 力士には、6階級あります。

81. 最上位の階級は、幕内と呼ばれます。

82. 2番目の階級は、十両と呼ばれます。

83. 上位2つの階級は、上位リーグに属します。

84. 残りの4階級は、下位リーグに属します。

85. 最上位の力士は、横綱と呼ばれます。

86. 最上位から2番目の力士は、大関と呼ばれます。

87. 上位リーグの大相撲は、15日間続きます。

88. 最初の日は、初日と呼ばれます。

89. 8日目は、中日(なかび)と呼ばれます。中間の日という意味です。

90. 最終日は、千秋楽と呼ばれます。

91. 各力士は、大相撲の期間、1日に1つの取り組みを戦います。

92. 千秋楽において、勝ち星が最も多い力士が、大相撲の優勝者になります。

78. Three of the Ozumo are held at Ryogoku Kokugikan in Tokyo in January, May and September.※78

79. The other three Ozumo are held in Osaka in March, Nagoya in June and Fukuoka in November.※79

80. There are six classes of sumo wrestlers.

81. The top class is called makuuchi.

82. The second-top class is called juryo.

83. The top two classes belong to the major league.

84. The last four classes belong to the minor league.※84

85. The top wrestlers are called yokozuna, grand champions.

86. The second top wrestlers are called ozeki, champions.

87. Major league Ozumo continue for 15 days.※87

88. The first day is called shonichi.

89. The eighth day is called nakabi. This means the middle day.

90. The last day is called senshuraku.

91. Each wrestler fights one match a day during the tournament.※91

92. The wrestler with the most wins during senshuraku becomes the winner of the tournament.

※78：正式名称は、1月場所、5月場所、9月場所ですが、通称として、1月は初場所、5月は夏場所、9月は秋場所と呼ばれます。
※79：正式名称は、3月場所、7月場所、11月場所ですが、通称として、3月は春場所または大阪場所、7月は名古屋場所、11月は九州場所と呼ばれます。
※84：下位リーグは、上から、幕下·三段目·序二段·序ノ口の4階級です。
※87：下位リーグでは、15日間で7番の取り組みを行います。
※91：下位リーグでは、2組に分かれて、交互に1日1つの取り組みを戦います。

93. 勝ち星が最も多い力士が２人以上いる場合、優勝決定戦が行われます。

94. 大相撲の成績によって、力士は階級が上がったり下がったりします。

95. 横綱は、階級を下げられることはありません。

96. そのため、横綱が負けすぎる場合、引退しなければならない可能性があります。

97. 力士の階級は、番付と呼ばれる階級リストによって公式に発表されます。

98. 相撲の判定を行う人は、行司と呼ばれます。

99. 行司は、伝統的な衣装を着ています。

100. 階級の高い取り組みは、より凝った衣装を着た階級の高い行司が判定を行います。

93. When there is more than one wrestler with the most wins, a play-off match is held.

94. Depending on the results of the tournament, the wrestlers are promoted to a higher rank or demoted to a lower rank.

95. Yokozuna are never demoted.

96. So, he may have to retire if he loses too many matches.

97. Wrestlers' ranks are officially announced in a sumo ranking list called banzuke.

98. Sumo referees are called gyoji.※98

99. Gyoji are dressed in traditional clothing.

100. Higher-ranked matches are judged by higher-ranked gyoji dressed in more elaborate clothing.

※98：大相撲では、土俵脇に5人の勝負審判がいて、行司の判定について必要に応じて協議します。英語に訳すなら、勝負審判はjudgeに近いでしょう。一方、行司は、勝敗の判定のほか、取り組みの進行など、様々な役割があり、refereeに近い存在と言えます。

Chapter 18 日本人の心と日本人像

◆本音と建前 Ch18-01

1. 本音は、人の本当の気持ちを指します。
2. 日本人が本音を伝えることは、めったにありません。
3. 日本人は、建前をよく使います。
4. 建前は、人前で見せる、儀礼的な態度です。
5. 建前は、英語でいうwhite lieと似ています。
6. 日本人にとって、自分の集団内における調和は大切です。
7. 集団内の調和を保つために、建前を使います。
8. たとえば、日本人は、はっきりと「ノー」と言うのを避ける傾向があります。
9. 「ノー」とはっきり言うのは、しばしば、失礼だとみなされます。
10. 代わりに、日本人はよく、「それは難しいですね」と言います。
11. それが本当に意味するのは、「難しいので、お引き受けできません」です。
12. 建前を使うことで、混乱する西洋人もいるかもしれません。
13. しかし、日本人にとっては、建前は、重要な社会の潤滑剤です。

1. Honne refers to a person's true feelings.

2. The Japanese seldom share their own honne.

3. The Japanese often use tatemae.

4. Tatemae is polite behavior shown in public.

5. Tatemae is similar to white lies in English. ※5

6. For the Japanese, harmony within one's group is important.

7. In order to maintain group harmony, people use tatemae.

8. For example, the Japanese tend to avoid clearly saying "no."

9. Saying "no" clearly is often seen as rude.

10. Instead, the Japanese often say, "That's difficult."

11. This really means "That's difficult, so I can't accept your offer."

12. The use of tatemae might confuse some Westerners.

13. But for the Japanese, it is an important social lubricant.

※5：white lieとは、相手を傷つけないための嘘、たとえば、嫌いな贈り物をもらっても、「大好きです」と答える類の、悪気のない嘘を意味します。

◆集団志向と根回し Ch18-02

14. 日本人にとって、自分の集団はとても大切です。

15. 日本人は、様々な大きさの集団を形成します。

16. 自分の家族は、最も基本的で大切な集団です。

17. 自分の地域社会もまた、集団とみなすことができます。

18. 同じ学校からの卒業生同士もまた、集団とみなされます。

19. 社会人になって、自分が働く会社もまた、集団です。

20. 日本人は、集団内での意見の不一致を、障害とみなします。

21. そのため、日本人にとって、集団内でコンセンサスを形成するのはとても重要です。

22. コンセンサスは、しばしば、根回しを経て形成されます。

23. 根回しは、集団の構成員すべてから同意を得るための準備過程です。

24. どんな意見の不一致も、根回しの過程で話し合われます。

25. 多くの意思決定の場面においては、既にコンセンサスが形成されています。

26. このようにして、それぞれの構成員の意見が、意思決定に反映されます。

27. コンセンサスを得ることで、集団としての仕事は円滑に進みます。

14. For the Japanese, one's group is very important.

15. The Japanese form groups of various sizes.

16. One's own family is the most basic and important group.

17. One's community can also be seen as a group.

18. Graduates from the same school are also seen as a group.

19. As adults, the company one works for is also a group.

20. The Japanese see disagreement within a group as an obstacle.

21. So, for the Japanese, having group consensus is very important.

22. Consensus is often formed through nemawashi.

23. Nemawashi is a preparation process to obtain agreement from all the group members.

24. Any disagreements can be discussed in the process of nemawashi.

25. In many decision-making scenes, consensus has already been formed.

26. In this way, every member's opinion is reflected in the decision.

27. By obtaining consensus, a group's work proceeds smoothly.

◆日本の敬語 Ch18-03

28. 日本語には、多くの敬語があります。

29. 敬語は、３種類に分けられます。

30. 一つ目は、丁寧語と呼ばれる、礼儀正しい言葉です。

31. 丁寧語は、相手に嫌な思いをさせないために用いられます。

32. 二つ目は、尊敬語と呼ばれる、尊敬を示す言葉です。

33. 尊敬語は、相手に敬意を表するために用いられます。

34. 三つ目は、謙譲語と呼ばれる、へりくだった言葉です。

35. 謙譲語は、自分を謙遜するために用いられます。

36. 敬語表現は、他の言語でも存在しています。

37. しかし、日本では、敬語に加え、人に声をかける方法も複雑です。

38. たとえば、日本人は、自分より上の地位の人を実名で呼ぶのを避けます。

39. 代わりに、その人たちの肩書や社会的な地位で呼びます。

40. たとえば、自分の上司は、上司の職名で呼びます。

41. 職名には、社長、部長、係長などがあります。

42. 実名を避けるのは、敬意を表している印です。

43. このことは、兄弟や姉妹にも当てはまります。

44. 弟や妹は、兄や姉を名前で呼ぶことはめったにありません。

28. The Japanese language has many honorific expressions.

29. They are divided into three types.

30. One is polite words called teineigo.

31. These are used to avoid offending others.

32. The second one is respect words called sonkeigo.

33. These are used to show respect to others.

34. The third one is humble words called kenjogo.

35. These are used to humble oneself.

36. Honorific expressions also exist in some other languages.

37. But in Japan, in addition to honorifics, the ways of addressing people are also complicated.

38. For example, the Japanese avoid addressing people of a higher status by their real names.

39. Instead, people address them by their titles or their social statuses.

40. For example, people address their superiors by their position.

41. They include shacho, meaning company president, bucho, meaning director, and kakaricho, meaning chief.

42. Avoiding real names is a sign of respect.

43. This is true even among brothers and sisters.

44. A younger brother or sister rarely addresses their elder brother or sister by his or her name.

45. 兄や姉を意味する言葉を用います。

46. この決まりには、例外もあります。

47. 異なる集団の人たちに対しては、自分より上の立場の人の実名を用います。

48. これは、自分の集団全体をへりくだることで、相手の集団に敬意を表するためです。

◆先輩と後輩 Ch18-04

49. 集団内において、日本人は、集団内の階層を形成します。

50. 集団内の階層は、普通、構成員の年功序列に基づきます。

51. 先達の人たちは、先輩と呼ばれます。

52. 後進の人たちは、後輩と呼ばれます。

53. 先輩は、その集団に先に加わった人たちという意味です。

54. 後輩は、その集団に後で加わった人たちという意味です。

55. 先輩という言葉は、自分の先輩を呼ぶときにも用いられます。

56. 先輩という言葉は、呼ばれた側が、おそらく年上であることを示唆します。

57. また、彼らが、後輩よりも経験や知識を持っているだろうということも示唆します。

58. そのため、先輩という言葉を使うのは、先輩に対して敬意を表す方法です。

59. お返しに、先輩は、後輩を助けることを求められます。

45. They refer to them using words meaning elder brother or sister.

46. There are some exceptions to these rules.

47. For people from different groups, they use their seniors' real names.

48. This is to humble one's whole group to show respect to other groups.

49. Within their groups, the Japanese form their own hierarchies.

50. It is usually based on the seniority of the groups' members.

51. Senior members are called senpai.

52. Junior members are called kohai.

53. Senpai means members of the group that joined earlier.

54. Kohai means members of the group that joined later.

55. The term senpai is also used to address one's own senpai.

56. The term senpai implies the other person is likely the speaker's elder.

57. It also indicates they might have more experience and knowledge than their kohai.

58. So, using the term senpai is a way to show respect to one's senpai.

59. In return, senpai are expected to help their kohai.

60. 大企業の賃金制度は、しばしば、年功序列に基づいています。

◆侍 Ch18-05

61. 武士は、日本の伝統的な戦士を意味します。
62. 武士は、侍とも呼ばれます。
63. 侍は、「さぶらう」という語に由来しています。
64. 「さぶらう」は、仕える、という意味です。
65. 侍は、もともと、平安時代に、高貴な人物に警護役として仕えていました。
66. 侍は、平安時代の終わりに向けて、力を付けていきました。
67. 侍は、12世紀に、自分たちの政府を設立しました。
68. それ以降、19世紀半ばまで、侍の時代が続きました。
69. 16世紀には、偉大な侍の指導者たちが、日本の覇権を目指してお互いに戦いました。
70. 江戸時代に、日本は平和になりました。
71. 侍は、政府の官僚のような存在になりました。
72. それでも、侍は、忠誠、勇気、名誉に基づく侍精神を発揮し続けました。
73. 武士道として知られる侍の規範は、日本人に厳しい道徳的指針をもたらしました。

60. Wage systems of large companies are often based on employee seniority.

61. Bushi are traditional Japanese warriors.

62. Bushi are also called samurai.

63. The word samurai came from the word "saburau".

64. "Saburau" means to serve.

65. Samurai originally served nobility as guards in the Heian Period.

66. Samurai became more powerful toward the end of the Heian Period.

67. Samurai established their own government in the 12th century.

68. Since then, the time of the samurai continued until the mid-19th century.

69. In the 16th century, great samurai leaders fought each other for control of Japan.

70. In the Edo period, peace prevailed in Japan.

71. Samurai became more like government bureaucrats.

72. Still, they continued to exercise their samurai spirit through loyalty, courage and honor.

73. The samurai code known as bushido provided strict moral guidelines for the Japanese.

74. 侍の精神は、新渡戸稲造著の『武士道』に詳しく述べられています。

75. 明治維新とともに、侍階級は消滅しました。

76. それでも、侍の精神は、日本人に影響を与え続けてきました。

77. 事実、今日でも、強い信念と自制力を持つ人たちは、侍と呼ばれます。

78. 武士道は、特に、日本の武道において重要視されています。

◆忍者 Ch18-06

79. 忍者は、封建時代に活躍した諜報員を意味します。

80. 忍者は、大名や領主に仕えました。

81. 忍者は、諜報活動、妨害工作、暗殺などに従事しました。

82. 忍者は、使命を全うするために、様々な道具や術を使いました。

83. 典型的な道具は、手裏剣です。

84. また別の有名な道具は、鎖鎌(くさりがま)です。

85. 伊賀や甲賀地域出身の忍者は、特に有名でした。

86. 伊賀は、現在の三重県、甲賀は、現在の滋賀県にありました。

74. The spirit of samurai is described in detail in *The Soul of Japan* by Nitobe Inazo. ※74

75. With the Meiji Restoration, the samurai class disappeared.

76. Still, the samurai spirit has continued to influence the Japanese.

77. In fact, people with strong aspirations and self-discipline are called samurai even today.

78. Bushido is valued especially highly in Japanese martial arts.

79. Ninja refers to secret agents active during the feudal period.

80. They served feudal lords and land owners.

81. They engaged in espionage, sabotage and assassinations.

82. They used various tools and skills to complete their missions.

83. One of their typical tools is shuriken, or throwing stars. ※83

84. Another famous ninja tool is the kusarigama, or a chained scythe. ※84

85. Ninja from the Iga and Koka areas were especially famous.

86. Iga was located in today's Mie Prefecture, and Koka in today's Shiga Prefecture. ※86

※74：『武士道』は英語で書かれた著書の翻訳版の題で、英語のタイトルは、the Soul of Japanです。
※83：手裏剣には星形以外のものもありますが、英語では、一般に、throwing starsやninja starsの名で知られています。
※84：scytheは、草などを刈る大鎌のことです。
※86：伊賀は、現在の三重県の伊賀地方にあたります。甲賀は「こうが」と呼ばれることもありますが、正しくは「こうか」で、現在の滋賀県甲賀市にあたります。

87. 江戸時代には、忍者は、江戸幕府によって、大名に対する諜報活動に使われました。

88. そのような諜報員は、隠密（おんみつ）と呼ばれました。

89. 隠密には、忍者以外の職員も含まれていました。

90. 忍者は、ハリウッド映画で、人気のキャラクターとなりました。

91. 1980年代には、忍者映画ブームが米国で起こりました。

92. ハリウッド式の忍者は、様々な空想上の術や道具を使います。

93. こうした忍者のイメージは、現実とはかけ離れていきました。

94. それでも、観光目玉として、忍者ショーはとても人気があります。

95. 忍者を目玉とする、テーマパークや博物館などもあります。

96. その中でも、伊賀流忍者博物館は、国内外の観光客に人気です。

97. 伊賀流忍者博物館は、忍者の歴史を紹介したり、忍者の道具を展示したりしています。

98. 伊賀流忍者博物館は、たくさんの秘密の仕掛けがある忍者屋敷も展示しています。

99. 来館者は、手裏剣を投げたり、忍者の衣装を着たりして、忍者の体験ができます。

100. 伊賀流忍者博物館では、様々な忍者グッズも売っています。

87. In the Edo Period, ninja were used by the Tokugawa Shogunate to spy on feudal lords.

88. Such spy agents were called onmitsu.

89. Onmitsu included officials other than ninja.

90. Ninja became popular characters in Hollywood movies.

91. In the 1980s, there was a ninja movie boom in the U.S.

92. Hollywood-style ninja use various fictional skills and tools.

93. These images of ninja became quite different from the reality.

94. Still, as a tourist attraction, ninja shows are very popular.

95. There are also theme parks and museums featuring ninja.

96. Among them, the Ninja MUSEUM of Igaryu is popular among tourists from home and abroad.

97. It introduces the history of ninja and displays ninja tools.

98. It also displays a ninja residence with many secret devices.

99. Visitors can experience being a ninja by throwing shuriken and wearing ninja costumes.

100. Various ninja goods are also available there.

Chapter 19 祝日・伝統行事

◆現在の祝日 Ch19-01

1. 日本には、16の祝日があります。

2. 1月1日の元日は、日本人にとって最も大切な祝日です。

3. 元日に、人々は、お節や雑煮と呼ばれる、特別な料理を食べます。

4. 雑煮は、餅を使ったスープです。

5. また、屠蘇（とそ）と呼ばれる、薬草で味付けした酒も飲みます。

6. 神社やお寺に参詣し、幸運を祈ります。

7. 子どもたちは、お年玉と呼ばれるお金の贈り物をもらいます。

8. 連休の数を増やすために、特定の月曜日に移動された祝日もあります。

9. 「成人の日」は、1月の第2月曜日です。

10. この日には、新成人を励ますための式典が開かれます。

11. 「建国記念の日」は、2月11日です。

12. この日には、日本の最初の天皇である神武天皇の即位を祝います。

13. また、この日には、国を愛する心を促進します。

14. 「天皇誕生日」は、2月23日です。

1. In Japan, there are 16 national holidays.

2. New Year's Day on January 1 is the most important holiday for the Japanese.

3. On New Year's Day, people eat special dishes called osechi and zoni.

4. Zoni is a soup made using mochi rice cakes.

5. They also drink herb-flavored sake called toso.

6. People visit shrines and temples to pray for good fortune.

7. Children receive money gifts called otoshi-dama.

8. In order to increase the number of consecutive holidays, some national holidays were moved to specific Mondays.

9. Coming-of-Age Day falls on the second Monday of January.※9

10. On this day, ceremonies to encourage new adults are held.

11. National Foundation Day falls on February 11.

12. On this day, the enthronement of the Emperor Jinmu, Japan's first emperor, is celebrated.

13. Patriotism is also promoted on this day.

14. The Emperor's Birthday falls on February 23.

※9：fall onは、isとしても通じますが、行事などが特定の日に行われる場合によく用いられる表現です。

15. この日には、天皇陛下の誕生日を祝います。

16. 「春分の日」は、3月21日ごろです。

17. この日には、自然とすべての生き物に敬意を払います。

18. 「昭和の日」は、4月29日です。

19. この日には、昭和時代を顧みます。

20. 昭和時代には、太平洋戦争と戦後の復興の時期がありました。

21. 「憲法記念日」は、5月3日です。

22. この日には、1947年の日本国憲法施行を記念します。

23. 「みどりの日」は、5月4日です。

24. この日には、自然の恩恵に感謝します。

25. 「こどもの日」は、5月5日です。

26. この日には、こどもの幸福を願います。

27. 「海の日」は、7月の第3月曜日です。

28. この日には、海の恩恵に感謝します。

29. また、この日には、海洋国家としての日本の繁栄を祈ります。

30. 「山の日」は、8月11日です。

31. この日には、山に親しみます。

15. On this day, people celebrate the birthday of the emperor.

16. The Vernal Equinox Day falls around March 21.※16

17. On this day, people pay respect to nature and all living things.

18. Showa Day falls on April 29.

19. On this day, people reflect on the Showa Period.

20. The Showa Period saw the Pacific War and a period of recovery after the war.

21. Constitution Memorial Day falls on May 3.

22. On this day, the enforcement of Japan's constitution in 1947 is commemorated.

23. Greenery Day falls on May 4.

24. On this day, people give thanks for nature's blessings.

25. Children's Day falls on May 5.

26. On this day, people wish for the happiness of children.

27. Marine Day falls on the third Monday of July.

28. On this day, people give thanks for the blessings from the sea.

29. On this day, people also pray for the prosperity of Japan as a maritime nation.

30. Mountain Day falls on August 11.

31. On this day, people feel affinity toward mountains.

※16：3月20日になる年もあります。

32. また、この日には、山の恩恵に感謝します。

33. 「敬老の日」は、９月の第３月曜日です。

34. この日には、高齢者に敬意を払います。

35. また、この日には、高齢者の長寿を願います。

36. 「秋分の日」は、９月23日です。

37. この日には、先祖に敬意を払います。

38. 「スポーツの日」は、10月の第２月曜日です。

39. この日には、スポーツを振興します。

40. また、この日には、国民の心と体の健全な発達を促進します。

41. 「文化の日」は、11月３日です。

42. この日には、平和と自由を愛する気持ちを表します。

43. また、この日には、文化を促進します。

44. 「勤労感謝の日」は、11月23日です。

45. この日には、労働と生産に感謝します。

46. また、この日には、国民がお互いに感謝し合います。

47. 祝日が日曜日になる場合、その後の最初の平日が振替休日になります。

32. On this day, people also give thanks for the blessings from the mountains.

33. Respect-for-the-Aged Day falls on the third Monday of September.

34. On this day, people pay respect to the aged people.

35. On this day, people also wish for their longevity.

36. Autumnal Equinox Day falls around September 23. ※36

37. On this day, people pay respect to their ancestors.

38. Sports Day falls on the second Monday of October.

39. On this day, sports are promoted.

40. On this day, the healthy growth of minds and bodies of the nation's citizens is also promoted.

41. Culture Day falls on November 3.

42. On this day, people express their love of peace and freedom.

43. On this day, culture is also promoted.

44. Labor Thanksgiving Day falls on November 23.

45. On this day, people give thanks for labor and production.

46. On this day, the nation's citizens also show gratitude to each other.

47. When a national holiday falls on a Sunday, the first non-national holiday after that becomes a substitute holiday.

※36：9月22日になる年もあります。

48. 2つの祝日に挟まれた日もまた、休日になります。

49. そのような、追加の休日は、9月「敬老の日」と「秋分の日」の間で、数年に一度生じます。

◆祝日の歴史 Ch19-02

50. 明治維新の直後に、政府は祝日を日本に導入しました。

51. 最初期の祝日は、すべて、伝統行事に基づいていました。

52. 伝統行事は、旧暦に基づいていました。

53. 1873年に、日本政府は、グレゴリオ暦を導入しました。

54. 日本の旧暦は、グレゴリオ暦とほぼひと月の時間のずれがあります。

55. そのため、旧祝日は、新しい祝日に置き換えられました。

56. 新しい祝日は、すべて、宮中行事に基づいていました。

57. それらは後に、国民の間に国家主義的思想を抱かせるのに利用されました。

58. 第二次世界大戦後、当時の祝日のほとんどが禁止されました。

48. Days sandwiched between national holidays also become holidays.※48

49. One such extra holiday occurs every several years between Respect-for-the Aged Day and Autumnal Equinox Day in September.

50. Soon after the Meiji Restoration, the government introduced national holidays to Japan.

51. The earliest national holidays were all based on traditional events.

52. Traditional events were based on the old calendar.※52

53. In 1873, the Japanese government introduced the Gregorian calendar.※53

54. Japan's old calendar has a time gap of about a month between it and the Gregorian calendar.

55. So, the old national holidays were replaced with new ones.

56. The new holidays were all based on Imperial court events.

57. They were later used to promote nationalistic ideas among the nation.

58. After World War II, most of the then national holidays were banned.

※48：「国民の休日」と呼ばれます。
※52：旧暦は、ひと月の長さが月の朔望（さくぼう）、一年の長さが地球の公転に基づいていたため、「太陰太陽暦」（the lunisolar calendar）と呼ばれます。略して、「太陰暦」（the lunar calendar）と呼ばれることもあります。
※53：グレゴリオ暦は、現在使われている新暦のことです。

59. 自由と平和の原則に基づく、新しい祝日が導入されました。

60. かつての祝日の一部は、名称と意義を変えて存続しました。

61. それらには、「建国記念の日」や「文化の日」、そして「勤労感謝の日」が含まれます。

◆伝統行事 Ch19-03

62. 国民の祝日とは別に、今でも人気の伝統行事もあります。

63. それらの一部は、今でも日本の旧暦に基づいています。

64. 節分は、季節の変わり目の前日に行われます。

65. 節分は、特に、２月４日ごろの、春の始まりの前日を指します。

66. 節分には、豆まきの儀式が行われます。

67. 豆まきは、邪気を追い払いつつ、福を招き入れるためのものです。

68. ３月３日には、ひな祭りが行われます。

69. この日には、家族の女児の健やかな成長を祝います。

70. 家族は、階段状の棚に人形を飾ります。

71. 人形は、古代の宮廷衣装を着ています。

59. New holidays based on the principles of freedom and peace were introduced.

60. Some old holidays survived by having their names and meanings changed.

61. These include National Foundation Day, Culture Day and Labor Thanksgiving Day.

62. Apart from national holidays, some traditional events are also still popular.

63. Some of these are still based on the old Japanese calendar.

64. Setsubun is held on the day before the change of the season.

65. It especially refers to the day before the start of spring around February 4.

66. On setsubun, a bean throwing ceremony is held.

67. This is to drive away evil spirits while also inviting in good luck.

68. On March 3, Hina-matsuri, or the Doll Festival, is held.※68

69. On this day, people celebrate the healthy growth of the girls in their families.

70. Families display dolls on a stairs-like stand.

71. The dolls are dressed in ancient court clothing.

※68：端午の節句と並び、旧暦の五節句のひとつで、上巳（じょうし）の節句や桃の節句と呼ばれます。

72. 特別なお菓子、餅、その他の食べ物が、この祭りのために用意されます。

73. ５月５日には、男児の祭りである、端午の節句が行われます。

74. この日には、家族の男児の健やかな成長を祝います。

75. 色とりどりの鯉の吹き流しが、竿に掲げられます。

76. 伝統的な甲冑、兜、刀、武者人形などが、しばしば飾られます。

77. 柏餅という、柏の葉で包んだ餅が出されます。

78. ７月７日には、七夕まつりが行われます。

79. この祭りは、中国の伝説に基づいています。

80. その伝説は、織女星（しょくじょせい）とけん牛星の恋物語に関するものです。

81. 人々は、色とりどりの紙切れに願いを書きます。

82. それらを、竹の枝に結び付けます。

83. それらの願いが叶うように願って、星に祈ります。

84. 地域によっては、七夕まつりは、日本の旧暦に基づいて８月に行われます。

85. お盆は、故人の精霊に敬意を払うための、3日間にわたる仏教の儀式です。

86. お盆は、地域によって、7月中旬、あるいは、8月中旬に行われます。

72. Special sweets, rice cakes and other food are prepared for the festival.

73. On May 5, Tango no sekku, or Boy's Festival, is held.

74. On this day, people celebrate the healthy growth of the boys in their families.

75. Colorful carp streamers are raised on a pole.

76. Traditional armor, helmets, swords, and samurai dolls are often displayed.

77. Kashiwa mochi, a rice cake wrapped in an oak leaf, is served.

78. On July 7, the Tanabata Festival is held.

79. The festival is based on a Chinese legend.

80. The legend is about the love between the stars Vega and Altair.

81. People write their wishes on colorful strips of paper.

82. People tie them to the bamboo branches. ※82

83. They pray to the stars hoping their wishes come true.

84. Some areas hold Tanabata festivals in August based on the old Japanese calendar.

85. Obon is a three-day long Buddhist ritual to pay respect to the spirits of the deceased.

86. It is held either in mid-July or mid-August depending on the area. ※86

※82：七夕で用いられるのは、竹もしくは笹です。笹は小型の竹の種類の総称で、英語でbamboo grassと呼ばれます。

※86：お盆は、かつては旧暦の7月15日に行われていましたが、東京を含む一部地域では新暦の7月15日に行われるようになりました。その他の地域では、旧暦に基づいて行われ続け、やがて8月15日に収束していきました。なお、沖縄・奄美地方では、今でも厳密に旧暦に基づいてお盆が行われています。

87. 人々は、精霊を迎えるために、迎え火を焚きます。

88. 人々は、精霊をもてなすために、盆踊りを披露します。

89. 盆踊りは、録音した音楽や和太鼓に合わせて、円形になって踊ります。

90. 最終日には、精霊をあの世に送り返すために、送り火を焚きます。

91. お盆は、地域によって、かなり異なる方法で行われます。

92. 一部の地域では、故人の霊を慰めるために、灯籠を川や海へ流します。

93. 年末に向けて、多くの人が年賀状の準備をします。

94. 年賀状には、しばしば、新年の十二支の動物が描かれています。

95. 日本の旧暦では、新年は春の始まりの近くでした。

96. そのため、挨拶の言葉には、しばしば、春を意味する言葉が含まれます。

97. 年賀状は、元日に配達されるように、12月25日までに投函されます。

98. 大晦日には、日本人はそば麺を食べます。

99. そば麺は、幸せと長寿を象徴します。

100. 年が変わるころに、寺院の鐘が108回つかれます。

87. People make bonfires to welcome the spirits.

88. People perform bon odori dance to entertain them.

89. Bon odori is performed in a circle accompanied by recorded music and a Japanese drum.

90. On the last day, people make more bonfires to send the spirits back to the other world.

91. Obon is held in very different ways depending on the region.

92. In some areas, they float lanterns down rivers or into the sea to console the spirits of the deceased.

93. Toward the end of year, many people prepare New Year's greeting cards.

94. They often feature the zodiac animal of the coming year.

95. In the old Japanese calendar, New Year was close to the start of spring.

96. Therefore, the greeting words often include words referring to spring.[※96]

97. They are mailed out by December 25 to be delivered on New Year's Day.

98. On New Year's Eve, Japanese people eat buckwheat noodles.

99. The noodles symbolize happiness and longevity.

100. At the turn of the year, temple bells are rung 108 times.

※96：「新春」や「賀春」といった言葉を指しています。

著者

江口裕之（えぐち・ひろゆき）

長崎県生まれ。CEL英語ソリューションズ最高教育責任者、通訳案内士（英語）、日本文化研究家。国立北九州高専化学工学科卒業後、プロミュージシャンを経て通訳・翻訳家および通訳案内士として活躍。2009～13年、NHKEテレ語学番組「トラッドジャパン」講師。2017年4～6月NHKラジオ語学番組「短期集中!3か月英会話:めざせ!スポーツボランティア」講師。著書に『英語で語る日本事情2020』（ジャパンタイムズ出版）、『トラッドジャパンのこころ』（NHK出版）、『日本まるごと紹介事典』（Jリサーチ出版）など。

編集協力　：Nathan Turner、福島絢子、大塚智美
カバーデザイン　：長尾和美（アンパサンド）
本文デザイン　：（有）ディーイーピー
本文イラスト　：矢戸優人
DTP　：（株）三協美術

録音・編集　：ELEC 録音スタジオ
音声収録時間　：約 3.8 時間
ナレーション　：Jennifer Okano, Chris Koprowski

外国人と街歩き英会話 日本を伝えるフレーズ2100

2024年 3月 5日　初版発行

著　者　江口裕之

発行者　伊藤秀樹
発行所　株式会社 ジャパンタイムズ出版
〒102-0082 東京都千代田区一番町 2-2 一番町第二 TG ビル 2F
ウェブサイト　https://jtpublishing.co.jp/
印刷所　中央精版印刷株式会社

本書の内容に関するお問い合わせは、上記ウェブサイトまたは郵便でお受けいたします。
定価はカバーに表示してあります。

万一、乱丁落丁のある場合は、送料当社負担でお取り替えいたします。ジャパンタイムズ出版・出版営業部あてにお送りください。。

Printed in Japan　ISBN 978-4-7890-1876-0